越学越神秘的太阳系故事

嗨！太阳系，我来了

图书在版编目(CIP)数据

嗨！太阳系，我来了／（韩）金志炫著；（韩）金住京绘；千太阳译.—北京：
中信出版社，2010.1（我超喜欢的趣味科学书）
ISBN 978-7-5086-1842-5

Ⅰ.嗨… Ⅱ.①金…②金…③千… Ⅲ.太阳系—少年读物 Ⅳ.P18-49

中国版本图书馆CIP数据核字（2009）第218824号

嗨！太阳系，我来了
HAI! TAIYANGXI, WOLAILE

著　　者：（韩）金志炫
插　　图：（韩）金住京
译　　者：千太阳
策划推广：中信出版社（China CITIC Press）
出版发行：中信出版集团股份有限公司（北京市朝阳区和平街十三区35号煤炭大厦 邮编 100013）
　　　　　（CITIC Publishing Group）
承 印 者：北京通州皇家印刷厂
开　　本：787mm×1092mm 1/16　　印　　张：10　　字　　数：54千字
版　　次：2010年1月第1版　　　　印　　次：2010年1月第1次印刷
京权图字：01-2009-4858
书　　号：ISBN 978-7-5086-1842-5/G·354
定　　价：28.00元

嗨！太阳系，我来了

越学越神秘的太阳系故事

文字　[韩]金志炫
图画　[韩]金住京
翻译　　　千太阳

中 信 出 版 社
CHINA CITIC PRESS

坐上宇宙飞船向太阳系出发！

你好，很高兴见到你！

看你的眼睛就像夜空中闪闪发亮的星星，肯定是一个喜欢探险的小朋友吧。让我猜猜你现在最想做的是什么呢？啊！原来是想到美丽又神秘的地方探险啊。好极了！那我们就一起去一个很特别的地方吧。

我们要去的地方就是"太阳系"。先让我来告诉你去太阳系探险之前要准备的东西。

宇宙地图、宇航服、太空食品……

哎哟，什么时候能准备好这些东西啊？不要担心，这里有一艘备有这些东西的宇宙飞船。这是一艘很神奇的宇宙飞船哟，大概比你现在所知道的任何宇宙飞船都要快呢。

对了，我们要和星星家族一起出发，星星家族每天都会讲许多有趣的星星故事。你是不是已经兴奋得不行了？有没有对这次探险充满了期待呢？

在旅行中，我们会依次见到闪闪发亮的太阳、行星、小行星、彗星和流星。

我们会踏上热得可以熔化铝块的金星；还可以在火星上看到坚硬的冻

土层。是不是觉得有点害怕呢？没关系，不要担心，因为我们有安全的宇航服。到了土星，我们会观察到美丽的光环；我们还能看到那帅气十足、拖着长尾巴的彗星。

太阳系探险归来之后，你就会更加了解我们生活的蓝色的地球，也会更加珍惜我们的家园，你对自然的想法会变多，想象的空间也会变大，就像浩瀚的宇宙一样。

现在，一切准备就绪，紧紧闭上眼睛吧。

我数一、二、三后，你们就大声喊：

"宇宙飞船出发！"

等一下，忘了告诉你太阳系探险宇宙飞船的名字了。

我们的宇宙飞船就叫——"想象宇宙飞船"，哈哈！

不过不要太失望，跟你约定一件重要的事情：等你读完本书后，我会给你讲讲真正雄伟的宇宙飞船，这种飞船是真的可以乘坐的宇宙飞船哦！

现在开始静静期待吧！

目录

太阳系家族里
都有谁呢？

小行星！

地球也是太阳系家族的成员哦！

太阳！

介绍一下我的家庭！

我们家住在美丽的郊外。

村头，也就是马路的对面有块菜地，每逢周末，我们全家就会去农场种土豆、大葱、辣椒、生菜等。

房子的后面有一座小山，空气非常清新。每天早上一起床，我们就跑到院子里呼吸新鲜空气，心情会变得非常愉快。

下面就让我来介绍一下我的家人吧！

我们家一共有四口人，爸爸、妈妈、松儿和我。

爸爸所学的专业就是专门研究星星的，现在是 "星星学校"的校长，他每天都给小朋友讲许多关于星星的故事。妈妈是和爸爸学同一个专业的同学，后来觉得热爱星星的爸爸很帅，就跟他结了婚，嘻嘻。

松儿是我的妹妹，今年六岁。可能是受了爸爸妈妈的影响，她对星星也有很浓厚的兴趣。她经常会问一些出人意料的问题，惹得大家大笑不止，被公认为家里的小活宝。

还有我，就是写这本日记的阿哲，现在上小学三年级。我对

科学，特别是宇宙科学有着浓厚的兴趣，所以常常会问爸爸许多相关的问题，有时候自己也会通过读书来丰富这方面的知识。在写这次太阳系探险日记的过程当中，我发现自己对太阳系还有很多不太懂的地方，所以以后还需要更加努力地学习。长大后，我想当一名出色的天文学家。

星星粉做成的太阳系家族

一家人聚在一起吃晚饭的时候，妈妈看着我问道：

"阿哲啊，今天不是升到新学年的第一天吗？"

"是的。"

"你觉得未来一年的学校生活会是怎么样的？"

"呃……就那样吧。"

妈妈皱了皱眉头，也许是对我的答案不太满意吧。

"嘿嘿，别担心了，我的同桌看起来是一个很有趣的同学，估计我们会相处得很愉快的。"

"这家伙，可不能逗你妈妈玩啊。"

爸爸捏了捏我的鼻子说。

今天是开学的第一天，虽然还没有认识很多朋友，但是今天跟我聊过天的同学我都很喜欢。一想到以后将要开始很有趣的校园生活，我的心情就开始激动起来了。

"为了庆祝阿哲升到三年级，妈妈跟爸爸准备了礼物哦。"

爸爸从饭桌下面拿出了一个礼物盒。礼物盒里装满了夜光星星，我兴奋地冲进房间把夜光星星贴在了天花板上，而且还贴出了我喜欢的海豚座。贴完星星，我关上灯，哇，房间里立刻变成了星星的海洋。

一直一言不发的妹妹突然哭丧着脸说：

"我也要礼物，呜呜……"

"看这里，松儿也有礼物哦。"

爸爸像变戏法一样拿出了挂满行星的移动模型。松儿顿时停止了哭泣，惊讶地望着移动模型。为了让松儿开心，我赶紧说：

"松儿的礼物比我的更好嘛，是很气派的行星呢。"

"嗯？'行星'是什么？"

我装作很懂的样子回答她说：

"行星是流浪的星星，像流浪者一样一直绕着太阳转。我们生活的地球也是行星，地球绕太阳转一圈就是一年，再转一圈又过了一年。"

"那挂在这里的都是行星吗？"

"对啊，都是太阳带领的行星。再补充告诉你一点吧，像太阳那样体型巨大，又可以自己发光的星星叫做恒星。"

"哇，哥哥好聪明啊。"

嘿嘿，我禁不住得意了起来，趁这个机会好好展示一下我的实力吧。

"看到这颗像葡萄粒那么大的星星了吗？这是行星当中最小的水星。旁边这个像小西红柿大小的是火星。"

松儿那圆圆的眼睛瞪得更大了，她拿起那个像橘子那么大的星星问道：

"这是什么行星啊？"

"那就是地球！是我们生活的行星。"

松儿痴痴地望着手上的地球，歪着脑袋说：

"但是，太阳在哪里呀？"

"这个，我也不太清楚，在哪里呢？"

我到处看了一下，但是没有找到像太阳的。

"是爸爸藏起来了吗？"

我和松儿都瞅着爸爸。

"干吗看我啊？我可没做什么坏事，是太阳不能挂在这个模型上，因为它太大了。你们要是知道太阳有多大的话，准会吓一跳的。"

爸爸从冰箱里拿出了苹果和梨，把苹果放在海王星旁边，把梨放在天王星旁边。

"怎么样，大小差不多吧？"

"哇！真的哎。"

"好，还应该有个像土星那么大的水果才行……对，哈密瓜就可以了。"

"好好玩啊，爸爸，木星比土星大很多，就用西瓜吧。"

我在画纸上画了个西瓜，然后剪了下来。

"好了，那最后来看看太阳的大小吧！"

爸爸说过太阳比木星大，那就找比西瓜大的水果就可以了……

什么水果比西瓜大呢？我一下子又想不起来了。爸爸张开双臂，画了个从地板到天花板那么大的圆圈。

"太阳是可以装满这个房子的气球。怎么样，够大吧？"

"哇，好大啊！"

爸爸告诉我们，如果在太阳里面摆上地球，一共可以放109个左右。太阳不仅个头大，而且很重，太阳比所有太阳系的行星的体重都加在一起还重750倍左右。

"爸爸，太阳带领着好多行星哦。"

"所以才有了太阳系这个名字啊，长得像地瓜一样坑坑洼洼的小行星、拖着漂亮尾巴出现的彗星都属于太阳系家族。"

"我们家才四个人，太阳系家族有那么多人，真厉害。"

但是太阳系家族是什么时候诞生的呢？又是如何形成的呢？我的疑惑像气球一样膨胀起来了。

妈妈端出了圆圆的饼，如果在平时，我早就扑上去了，但是现在脑子里全是疑问，哪里还有心思想吃的事情啊？

妈妈好像已经看透了我的心思。

"小馋猫今天很奇怪哦，想什么呢，那么认真？"

"妈妈，太阳和地球是什么时候诞生的，又是怎么形成的呢？"

"要做饼需要什么粉呢？"

不是吧，刚刚还在说太阳系的事，怎么突然说起饼来了？

"面粉！"

我捶了下松儿说：

"喂！用面粉怎么做饼啊！是米粉啦。"

妈妈又笑着问，做面包需要什么粉？我很自信地回答是面粉。

"最后一个问题，要做星星的话需要什么粉呢？"

这个我就说不上来了，歪着脑袋想，松儿抢先回答说：

"星星粉！"

"喂，哪有星星粉啊？"

但是妈妈的回答出乎我的意料。

"叮咚！松儿答对了。"

咦？难道真的有星星粉？

"宇宙中由尘埃和气体聚在一起的云雾状天体，叫做星云，也可以叫星星粉。"

"那像太阳、行星、小行星这样的星星都是由星星粉形成的吗？"

"嗯，是很久以前的事了，大概是46亿年前吧。星云聚在一起形成了旋涡，很多星云在旋涡的中心凝聚，形成了'婴儿太阳'。太阳周围又形成了许

多小块，这些小块混合在一起变成了行星。"

噢！原来我们的太阳系真的是星星粉做成的啊。

疑团解开了，饼也变得更好吃了，哈，剩下的饼全是我的！

今天收到的星星礼物很合我的心意。关上灯躺在屋子里，星星们在屋顶上调皮地望着我。

"在房间里看星星固然很好，但是只顾着看星星了，怎么也睡不着啊。"

唉，既然这样就干脆到外面去看真的星星吧。

我走到院子里一看，黑漆漆的夜空中闪烁着一两颗星星。

这么多星星当中，有没有像地球一样有生命的星星呢？如果以后我能够去宇宙探险，一定要找找有外星人居住的星星。

你不再是行星了！

　　太阳系家族里的行星包括冥王星在内曾经有9个。但是，2006年8月24日，在捷克首都布拉格召开的国际天文联盟（IAU）总会中，科学家们决定把冥王星赶出行星的行列。因为它个头很小，公转轨道（行星是围绕恒星公转的天体）也跟其他行星不一样。现在我们背诵太阳系行星顺序的时候就要背成"水、金、地、火、木、土、天、海"了。

太阳系行星水果铺

3月2日　　天气：蓝天上飘着朵朵白云

以后变成大人的话，要不要开一个行星水果铺？
这肯定很受宇宙探险队或科学家们的欢迎，因为每当吃水果时，就能想起宇宙。松儿说她最想吃木星牌西瓜。

见一见太阳系的家庭成员

欢迎大家来到太阳系旅行。

虽然到现在为止，只有经过选拔的宇航员或者是无人探测器，才可以进入太空旅行，但是相信未来终有一天，所有人都可以到太空旅行。

大家事先了解一下太阳系行星和小行星，对未来的太空之旅很有帮助的喔！

现在，让我们跟随阿哲的家人，一起到太阳系的各个角落去探险吧！

孩子们，准备好了吗？
现在要开始太阳系之旅了。

水星　金星　月球

地球

火星

木星

土星

海王星　天王星

变成地球土壤的
星星碎片

　　松儿和我躲在被窝里，探出两个小脑袋看着电视。

　　当我们正沉浸在动画片中时，房门突然打开了，传来爸爸洪亮的声音。

　　"想去菜地锄草的人出来！"

　　松儿眨着眼睛疑惑地看着我，我悄悄告诉她锄草就是把野草拔掉，然后我们就不约而同地使劲摇了摇头。

　　爸爸晃着饭盒说：

　　"想去菜地吃紫菜包饭的人出来！"

　　一听这个，松儿和我争先恐后地跑了出去，外面有晴朗的天空在等着我们。去菜地有一种春游的感觉，出发！

　　走了30分钟左右，就到了周末农场，我们把东西放在帐篷里，然后就来到了我们家的菜地。上个月种的土豆已经破土而

出，豌豆和生菜也骄傲地展示着绿叶。看看四周的一切，四面八方仿佛传来了新芽们愉快的歌声。

"很久没来了，它们长得还挺好呢，是谁在照顾新芽呢？"

"多亏了那些好人啊。"

"是谁呢？是妈妈的朋友吗？"

"嗯，是我们大家的朋友。赐予我们阳光的太阳、带来新鲜空气的风、湿润土壤的雨，还有把养分输送给根的土壤。"

松儿和我用手轻轻摸了一下土壤，可能是因为有春天的阳光照射，感觉很温暖。把脸凑过去，清风迎面扑来，空气中散发着泥土的清香。手指间变得湿润了，好像是土壤里渗进了昨晚下的雨水。

松儿抓了一把泥土，用灿烂的笑脸和泥土打了个招呼。

"泥土大人，您好啊。"

她仔细看了一下手中的泥土，问我：

"哥哥，泥土是怎样形成的呢？"

这时，垄沟间的石头正好映入我的眼帘。

"看见那边的石头了吗？如果石头一直被风雨吹击敲打，就会变成泥土。"

"那石头又是怎么形成的？"

"这个比较复杂，46亿年前地球诞生，开始是个没有石头和泥土的火球，后来地球的表面渐渐变凉，就有了石头。知道了吗？哈哈！"

"那地球是怎么形成的？"

妹妹的提问越来越难了，但是我不能就此退缩。

"还记得由尘埃和气体组成的星星粉的故事吗？妈妈不是说星星粉就是星云嘛，星云聚在一起就有了太阳或者地球。"

"啊，对，现在想起来了一点。"

"这下知道哥哥的实力了吧，现在也没什么疑问了，去锄草吧。"

我有点小小的得意，愉快地哼着歌走在田埂上。才走了几步，松儿的声音又传了过来。

"哥哥！那变成地球的星云，是怎么形成的呀？"

"星云？也是，是谁做出来的呀？呃……行了，别再问了。"

我用手捂着耳朵跑向了小水沟，可是松儿不依不饶地追着我，我只好跑到了爸爸身边。

"松儿的好奇心太强烈了，爸爸，趁这个机会休息一下，帮松儿解开谜团吧！"

爸爸放下锄头，坐到了田埂上。

"其实爸爸也不知道星云是谁做出来的，可能这个世界上没有一个人会知道，只知道星云凝聚在一起变成了星星。"

"啊，真没劲，要是能知道星云是谁做出来的就好了……"

松儿可能有点失望，撅着小嘴。爸爸对着我们的耳朵悄悄说：

"还有个比这更惊人的事情，星星也像人一样，岁数大了就会死掉。特别是个头大的星星，会突然爆炸，把自己身体里的灰尘啊、气体啊那样的碎片散落在四面八方。这些星星碎片又跟别的星星碎片结合在一起，变成新的星云。"

"那地球也是这种星星碎片变成的吗？"

松儿一边把紧握在手心里的泥土给我们看，一边说。

"当然，这泥土里也混着很久以前形成的星星碎片。"

爸爸开心地笑着，抱起了松儿。

我们和爸爸一起，赤脚走在田埂上，脚掌踩到泥土的感觉很新鲜。我们帮爸爸种下了黄瓜、西红柿、甜瓜的新芽。用锄头挖个坑，然后灌满水，小心翼翼地把新芽栽到坑里，然后再覆盖上泥土，心里祈祷着"一定要健康成长哦"。做完事回到帐篷，妈妈为我们准备了凉开水。

"瞧，阿哲都快成农夫了呢。"

"以后叫我小农夫吧，嘿嘿！"

我的心情好极了。拍掉沾在衣服上的泥土后，我问

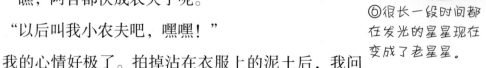

②随着星星碎片的移动，中心形成旋涡。

①在不同地方形成的星星碎片聚在一起。

⑦生命结束的星星会爆炸。这时候核心会塌陷，其余部分就变成碎片被挤到外面。

⑥很长一段时间都在发光的星星现在变成了老星星。

了刚才一直想知道答案的问题。

"妈妈，地球的土壤里有什么？"

妈妈从篮子里拿出了苹果。

"我们可以想象这个苹果就是地球。"

妈妈把皮削掉给我看了一下。

"这些苹果皮就是我们站立着的土地，叫做地壳。"

"我第一次知道土地这么薄。"

妈妈把苹果切成两半分给了我和松儿。

"真好吃。"

"现在你们正在吃的苹果肉可以看做是地幔，它占地球里的绝大部分。虽然是很坚硬的固体，但它一直在慢慢地移动着。"

"如果地幔移动，那上面的地壳也会跟着移动吧？"

"对，所以会产生地震和火山活动。"

妈妈露出了一个满意的表情。现在苹果只剩下了有籽的中间部分。

③星星碎片逐渐凝聚，形成小块。

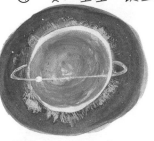

④"婴儿星星"诞生了。

⑤星星越来越大，变成青年星星，周围也有了行星。

"这里叫什么？"

"叫做地核。地核中心的温度非常高，大概有6000℃吧。"

妈妈指着太阳告诉我们，太阳表面的温度和地球核心的温度差不多。地球里面那么烫，居然还能有这么多动植物生存着，真是太不可思议了。

做完了所有的事情，我们在小水沟边清洗了沾满泥土的锄头和手。离开时，我再一次回过头看了下菜地。

"星星碎片们，我们家的蔬菜就拜托给你们了！下周再见。"

苹果和地球是一样的。

4月29日 天气：春光明媚

地壳

地幔

内核

外核

呵呵

　　在菜地吃了"地球苹果"，以后每当吃苹果时或许都会想起地球。宇宙里会有和地球一样的行星吗？那里也会有各种各样的蔬菜吗？

　　我一定要成为天文学家，找出这些问题的答案。

在宇宙中观察地球

圆圆的地球

展开的地球

圣安德烈亚斯断层

我来变个魔术吧！地球，地球快展开吧，咿呀！怎么样，厉害吧？

圣安德烈亚斯断层是地壳相撞形成的，位于美国的洛杉矶和旧金山之间。

韩国在哪里？啊哈！在这里！

韩国

澳大利亚大堡礁

● 大海的颜色很漂亮吧？澳大利亚大堡礁是地球上最出名的珊瑚海。

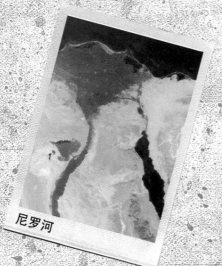

尼罗河

尼罗河，是地球上最长的河流。

那里看起来弯弯曲曲的是什么呀？

记录太阳系诞生之谜的 小行星

天空裂成两半的同时，一个拖着长长尾巴的小行星突袭过来。一眨眼的工夫横扫过天空，一头撞在了土地上。"哐！"巨大的声音震动了大地，被碾碎的石块飞到了上空，又变成火球掉了下来。小行星掉落的地方出现了巨大的坑，大火向四处蔓延，浓烟和灰尘笼罩了整个世界。原野上有数十只恐龙倒在那里。我突然觉得呼吸困难，心跳加速。

这时，一只受惊的恐龙扑向了我，我害怕地蜷缩起身体，闭紧了眼睛。恐龙的脚步声越来越近，就在这时，有人拍了一下我的肩膀，我吓得叫出了声：

"啊！"

回头一看，是爸爸站在身后。

"原来在这里啊，我找了你半天。"

"呼！还好是爸爸。我看电影看得太投入了，以为要被恐龙抓住了呢。"

跟爸爸约好了在科学馆见面。我先到了那里，看起了立体电影，电影的名字叫《小行星的冲撞和恐龙的灭绝》，由于那画面太逼真了，我还以为真的是小行星掉下来了呢。

参观完科学馆回家的路上，关于恐龙和小行星的疑惑总是在我的脑海里徘徊着。

"爸爸，地球上会不会还有存活的恐龙呢？真想见一次……"

"恐龙已经全部都灭绝了，只留下了化石。但是可以给你看小行星，要不要跟爸爸来找一下？"

"嗯，好，我好想看啊。"

我和爸爸约好明天早上天亮之前一起观察小行星。

"我们要看的小行星叫灶神星，是不是要提前了解一下呢，这样才容易找啊？"

"好！"

我很兴奋地大声回答。然后在网上查阅了许多关于灶神星的资料。

灶神星在小行星当中是最亮的，据说凌晨在天蝎座的上方可以看到。我把天蝎座的星座图准备好后，就早早上床睡觉了。

"该起床了，去看小行星吧。"

爸爸叫醒了我，我们一起来到院子里。爸爸把望远镜放在三脚架上，根据我的高度调好了角度。我激动地从望远镜中观测，看到朦胧的星星中有一颗比较亮的星星。

"中间最亮的就是灶神星。"

我以为会像红薯那样凹凸不平呢！但是我看到的只是一个小点，大小也跟其他的星星没什么区别啊。

"灶神星原来长得不像红薯呀。"

"太远了，所以看不出来。"

"怎么知道这就是灶神星呢？"

爸爸告诉了我一种很简单的识别方法。小行星也像别的行星一样游荡于星座之间，所以连续观察几天，找出在星星之间移动的星星就可以了。

不知不觉中，天开始亮了，星星也失去了光芒，灶神星也在望远镜里消失了。我在星图里标出了小行星的位置。明天凌晨要继续观察，我想亲自确认一下，小行星是不是像爸爸说的那样移动着。

放学回来，我跟松儿一起在游乐场玩沙子的时候，发现了一个像砾石一样圆圆的东西。我赶紧捡起来抖掉沙子一看，原来是一个带有白色波浪纹的贝壳。松儿拍着手说：

"噢耶！捡到了漂亮的东西。"

我用手掂了一下，感觉挺沉的，似乎跟一般的贝壳不一样。

"妈妈，这会不会是很久以前的贝壳化石呢？"

"是啊，拿回家研究一下吧。"

探索贝壳化石之谜的行动开始了，趁我查看百科辞典的时候，松儿用放大镜观察着贝壳。

上网查资料的妈妈大声说：

"终于搞明白了，这个贝壳不是化石，只是普通的贝壳而已。"

我有点失望，妈妈拍了拍我的肩膀说：

"不要紧的，妈妈给你讲讲飘在宇宙里的化石吧。"

宇宙里真的有化石吗？我的好奇心又重新被点燃了。

"有很多很多，有像我们家这么大的化石，还有更大的。"

听了妈妈的话，我的好奇心更强烈了。

"真是无法想象啊，妈妈快点告诉我吧！"

"仔细听着，那就是……小行星。"

"小行星？唉，那哪是化石啊。唉，又失望了。"

"别急，听我把话说完嘛。化石对于人类探究以前不为人知的事情是很有帮助的，小行星也是。"

　　我瞪大眼睛倾听妈妈的话。

　　"46亿年前，形成太阳系行星的时候，有很多小石块。"

　　"我知道，是那些东西聚在一起变成了一颗巨大的行星吧？"

　　"嗯，对。变成行星后也受了不少苦呢，有的被灼烧熔

化，有的被强大的力量撞得粉碎。经历这些事情以后，原来的性质会变得怎么样呢？"

"嗯……会变很多的。"

"对，但是也有一些没有变大的行星，而是一直以小行星的形态存在，所以数十亿年以来都可以保持原貌。这样看来，就可以说小行星是化石了吧？好好研究的话，对揭开太阳系形成之谜有很大的帮助哦。"

听完妈妈讲的故事，我对小行星的好奇心更加强烈了。

临睡前我就把望远镜准备好，放在了枕头底下。天气预报说明天早上会有云，我有点担心观察不到灶神星，就坐在床上向上天祈祷，一定要让我看到星星。钻被窝的时候我抬了一下枕头，糟糕！望远镜不见了。

"妈妈，看见我的望远镜了吗？"

我和妈妈在屋里找了一大圈儿，但是没有找到。我重新巡视了一下房间，发现松儿盖的被子怎么看都有点奇怪，肚子部分是鼓着的。我悄悄掀开了被子。

"不是吧，望远镜怎么会在这里？"

我以为松儿睡着了，没想到她突然睁开眼睛说：

"从现在开始到明天早上望远镜是我的，你不可以拿走。"

"你要干什么？"

"我也要找小行星，然后给它起好听的名字。"

"什么名字？"

松儿拿起了放在枕头旁边的小狗玩具。

"叫波比。"

"哈哈，知道了，明天可不能睡懒觉啊。"

我笑了一阵，一点都不困了，躺在床上翻着《宇宙科学》漫画书，正好有关于小行星的故事。原来让恐龙消失的"小行星撞击地球"事件在未来也有可能发生。天啊，太可怕了。

以后我要经常观察小行星，因为要在小行星撞击地球之前做好准备。

小行星是宇宙的化石
5月2日 天气：风和日丽

灶神星→
小行星座

凌晨就爬起来观察叫做灶神星的小行星。
我以后要早睡早起。
要在凌晨观察天空，去发现许多小行星。
或许还可以把地球从可能与小行星撞击的危险中解救出来呢？

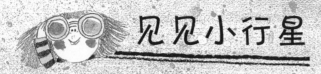

见见小行星

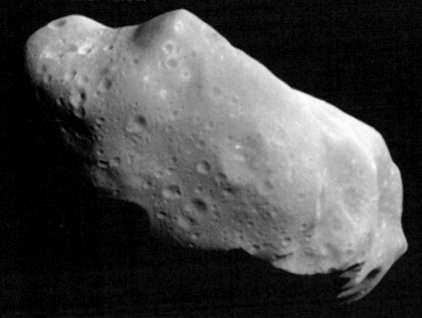

小行星爱达和达克载

这是小行星爱达和达克载。

左边那个大的是爱达，右边像个小不点儿的是达克载。

爱达的直径为52千米，首尔市的东西距离才40千米左右，应该可以想象出它是多大的小行星了吧？

小小的达克载看起来很可爱吧？但是实际直径也超过1千米。

宇宙里有很多这么大的小行星呢。

加斯帕拉

这个长得像地瓜的是名叫"加斯帕拉"的小行星。

这个向两旁延伸，长得像骨头的东西是名为"爱神星"的小行星。

长得像骨头，名字却叫"爱神"，是不是觉得很有趣呢？

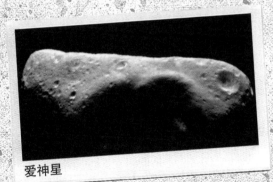

爱神星

哇！长得好像骨头呀！

那可是"爱神星"哦。

啊，好烫！啊，好凉！
水星

妈妈很喜欢泡温泉，她说泡温泉不仅可以使皮肤变得光滑，还可以放松身心。连出远门的时候，妈妈也要看看周围有没有温泉。

几天前，离村子不远的地方开了一家新的温泉馆，妈妈非常高兴。一到星期天，我们全家都会被妈妈拉去泡温泉。进入温泉之前，我事先用香皂洗了一下身子。淋浴器开关上标着温度，我把水温调到30℃左右，拧开了开关。

"啊！烫死了！"

可能喊的声音太

大了，周围的人们都转过头看我。我有点不好意思，调低温度重新拧开了开关。

"啊！好凉！"

这一次又凉得受不了了。

这次爸爸走了过来，仔细看了下水龙头。

"水龙头坏了，要换其他的了。"

我移到旁边的水龙头洗了身子，然后扑通跳进了温泉里。

"啊，真烫。"

虽然池子里的水有点烫，但是比刚才的凉水要好多了。我并排坐在爸爸的旁边。

"现在好点了吗？"

"嗯，好多了。"

"太冷或者太烫都不好受吧？我们的地球也是。"

"什么意思呀？"

"如果地球离太阳比现在近，就会变得很烫。相反如果更远，肯定冻僵了。如果真的变成那样，地球

上是不会存在人类或者其他生命的。"

"知道了，就是说地球的温度正好适合人类生存，对吧？"

我突然觉得地球和太阳的距离适当实在是万幸。

"阿哲，知道在太阳系里哪个行星最热吗？"

由于我已经背熟了太阳系的行星顺序，于是很自信地回答：

"水、金、地、火、木、土、天、海。水星离太阳最近嘛。"

"错了，金星比水星还要热。"

咦？这是为什么呢？爸爸明明说过，如果地球离太阳再近一点就太烫了，生命无法在地球上生存……难道是我背错了太阳系的行星顺序吗？我疑惑地看着爸爸的脸。

"水星是离太阳最近的，但并不是最热的行星，最热的行星是金星。"

"为什么呢？水星不是比金星离太阳更近吗？"

我真的想不通。

寒冷的冬天，靠近暖炉就会暖和，远离暖炉就会冷，这是肯定的呀……是不是在温泉里我的脑子失灵了？爸爸继续给我解释。

"水星的表面温度不是固定的，有阳光照射的地方会升到430℃，没有阳光的地方就会下降到零下180℃。但是，金星的表面温度基本不变，不管有没有阳光照射，都是470℃左右。你说这两个行星中哪个会更热呀？"

"那应该是表面温度一直都很高的金星吧，但是金星的表面

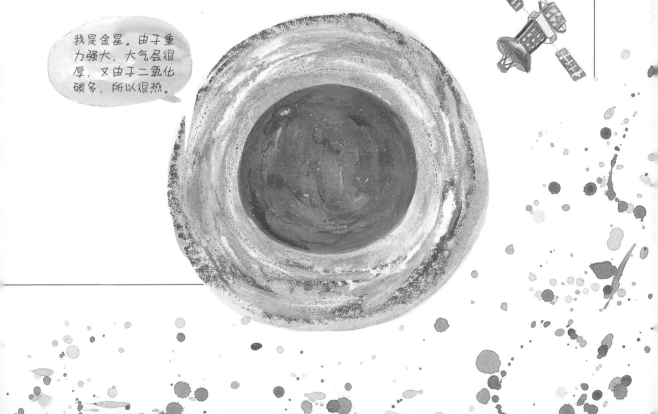

温度为什么会那么高呢？"

"那是因为金星的重力很强。"

"金星的重力很强？"

关于重力，我以前看过书，所以有一点了解。重力就是为了不让我们的身体、空气、海水等跑到地球外面，而把我们拉向核心的力量。但是重力不是只有地球才有的吗？

"难道金星也有重力？"

"当然，所有行星都是有重力的，只是强度不一样罢了。重力越强，越能锁住很多大气。在这个过程中，二氧化碳才能够锁住太阳释放出的热量。"

重力强大的金星由于大气层里含有很多二氧化碳，所以能很好地锁住热量，于是也就成了太阳系中最热的行星。爸爸说着热行星的故事，我感觉身体变得更热了，赶紧结束温泉浴，走到外面吹吹凉爽的风。爸爸在外面等了一会儿，妈妈和松儿终于出来了。

"怎么洗那么久？我饿了。"

看见妈妈，我肚子更饿了。

想要早点吃饭只有一起帮忙了，一回到家我们便跑到厨房帮忙准备晚饭。正在冰箱里找东西的妈妈好像很吃惊地说：

"哎呀！这里怎么有水星啊？"

想起在温泉听爸爸讲的故事，我突然眼前一亮，还没摆完碗筷就跑到了电冰箱那里。

"啊！被骗了，不就是土豆吗。"

"被骗？好，这次给你看真的水星。"

妈妈快速跑到房间里，我和松儿也紧随其后。

"看这里，是真的水星哦，神奇吧？"

妈妈给我们看的书里有一张圆圆的表面有很多坑的星球照片。

"妈妈，以为我又会上当吗？这不是月亮嘛。"

"不一定，睁大眼睛好好念一下。"

"和月球长得很像的水星表面……"

天啊！月亮和水星居然长得这么像，由于好奇我多读了几页。书上说水星比月球稍微大一点，两个都是几乎没有大气，也不刮风下雨的行星。

而且像地震、火山爆发这样的地质活动在很久以前也已经停止了。

所以痕迹一旦形成，在很长一段时间内都不会发生多少变化，依然保持着原貌。

水星和月球表面生成的陨石坑，也是随着时间的流逝而增加的。

"咕噜噜。"

我只顾着看水星照片了，居然都忘记肚子饿这回事了。

"我饿了！"

"知道了，说完这个就马上开饭！"

妈妈一只手拿着土豆，一只手拿着一袋小米说：

"我们假设水星像土豆这么大，如果像小米这么大的小行星撞到水星上会怎么样呢？"

"会形成陨石坑。"

"那么，坑会有多大呢？"

"像小米那么大吧。"

"来，给你看，不要太惊讶哦。"

妈妈在土豆上剜出了一个坑，像1分硬币那么大，相当于小米直径的10倍左右。

"为什么小米这么大的小行星撞在上面，会形成这么大的坑呢？"

"虽然小行星个头小，但是掉落的速度非常快，所以撞向

50

水星表面的冲击力是非常巨大的。"

听说在水星真的发生过这种事。由于小行星的撞击，水星上形成了叫做"卡路里"的大陨石坑。环形山的直径是1300千米左右。不知道那时的冲撞有多么强烈，据说冲击波传到了水星的另一面，形成了褶皱的地形。

小米一样的小行星居然能把水星土豆变成这样。

在旁边听着我们对话的松儿问：

"妈妈，我饿了，这个土

豆可以吃吗？"

"可以啊，肯定很好吃，做土豆烧牛肉吃吧。"

松儿捧着土豆说：

"哇！好开心哦，今天要吃水星土豆了。"

"哈哈！"

妈妈和我相视一笑。

做完作业我钻进了被窝。闭上眼睛，我想起了晚饭前看到的小行星"小米"刻在"土豆"水星上的大坑。

俗话说"秤砣虽小，能压千斤"，可千万不能因为小行星小而小看它哟。

太阳系行星的表面温度是多少？

行星名字	表面温度	行星名字	表面温度
水星	−180~430℃	木星	−110℃
金星	470℃	土星	−170℃
地球	−30~30℃	天王星	−210℃
火星	−100~20℃	海王星	−230℃

去水星的时候需要两套宇航服

去水星探险的时候需要准备一个很大的箱子，
因为要带两套宇航服。
水星的白天非常热，晚上非常冷。
对了！说不定还会感冒，一定要带着感冒药。

去水星看一看

水星

卡路里盆地

存在于行星或者月球表面的凹坑，叫做陨石坑，是陨石冲撞或是火山爆发的时候形成的。卡路里盆地是水星上最大的陨石坑。

呜哇！是
环形山！

水星表面有环形山。
这是陨石撞击水星时喷出
来的物质散落在四面八方
面形成的。

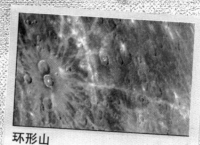
环形山

看到位于陨石坑中间尖尖的山了
吗？比较大的陨石撞击水星的时候，
其冲击力是很强大的，所以产生了大
爆炸，陨石坑的中间冒出了尖尖的
山，于是变成了现在这种样子。

陨石坑里的尖角山

平原

这里看起来很
安静。

平原是指平坦的地
方。在水星的平原上，陨
石坑比其他地方少。

白天也看得见的金星

　　啊，期盼了好久的暑假终于到了！昨天晚上，我们穿过拥堵的高速公路到了住在海边的奶奶家。

　　大清早我就开始跟表哥小民张罗着出海，我们准备了泳衣、泳镜、游泳圈，还有装贝壳用的桶。表哥和我先带着松儿上了车，爸爸也揉着眼睛坐到了驾驶座上。可能是昨晚开车开到很晚，还没有睡够。（怎么办呢？可不能疲劳驾驶啊……）

　　我们三个对着爸爸的耳朵大声喊：

　　"向大海出发！"

　　天空中万里无云，阳光明媚。由于太热，车里开着空调也觉得很闷。

　　"哥哥，为什么夏天这么热啊？"

　　"是啊……为什么热呢？"

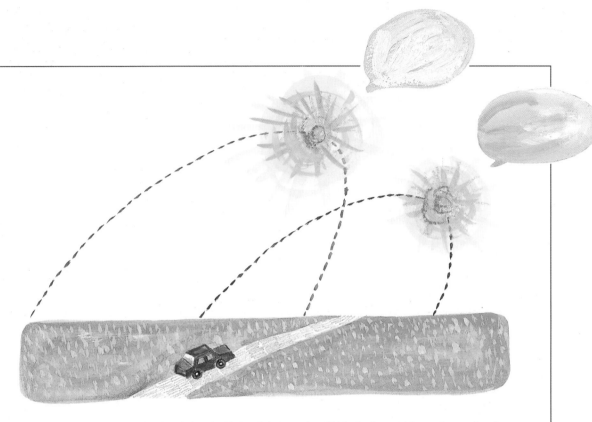

　　对于松儿突然提出的问题我不知道该如何回答，小民表哥以"怎么连这个都不知道"的表情大声说：

　　"夏天太阳和地球离得很近，所以就很热。"

　　"哥哥，那冬天是因为太阳和地球离得远，所以才冷的吗？"

　　"当然了！"

　　这时突然传来了爸爸的笑声。

　　"哈哈！孩子们，那是错的。"

　　表哥和我有点尴尬。

　　"夏天的白天长，太阳不是升得早落得晚嘛，而且比起冬天，太阳高度更高，阳光更强，所以才会热。"

　　我们一句话都不说，静静地听着。小民表哥很不好意思地挠了挠头，对我说：

　　"没事，学到了新的东西嘛。"

　　不知不觉中，大海就出现在眼前，大家争先恐后地跑向了沙滩，但赤着脚走了几步就停住了，啊！脚底怎么像着了火似的。这是因为沙粒被阳光暴晒，变得很烫。于是我们便一蹦一跳地跑到海边把脚泡进凉凉的海水里。

　　打水仗、砌沙堡、捡贝壳，我们在海边玩了很多游戏。玩了一阵，有点累了，我们打算休息，就上了岸。由于是正午，

沙滩更热了。我边穿鞋边说：

"表哥，爸爸说金星是最热的行星，要去那里的话应该穿特制的鞋吧？"

"不只是鞋，宇航服也要特制的才行呢，因为金星的气压很大。"

"什么是气压？"

"嗯……就是空气往下压的力。"

"啊，我好像明白了。那水的压力是不是叫水压？"

"你像我一样聪明啊。告诉你一个更惊人的事实，金星表面的气压相当于大海水深900米处的水压，是非常强大的。"

　　这次有点不明白了，我眨着眼睛看着表哥。于是表哥捡起旁边的塑料袋，拉着我走向大海。他把我的手套在塑料袋里浸在了海水中，塑料袋就像手套一样贴在了手上。

　　"浸得越深，塑料袋贴得就越紧，因为水压变大了。所以想要到海底深处，就得制造很结实的潜水艇。"

是啊，要想造出金星探测船，就要先学习一些有关潜水艇的知识。我第一次知道金星是那么可怕的地方。

"你在白天见过金星吗？"

"白天那么亮，怎么可能看得到金星？表哥，你是不是中暑了？"

小民表哥不理会我的话，继续说；

"天上最亮的是太阳，然后是月亮。看那里。"

表哥用手指指了指天空，大白天居然还挂着月亮。

"第三个容易看见的就是金星，金星很亮的时候白天也可以看得到。"

我左右望了一下天空，蓝天上只有几朵白云飘过。我缠着小民表哥帮我找找金星，小民表哥看了几眼说：

"现在看不见呢，真奇怪，明明在学校操场上跟科学老师一起见过的……"

表哥强调他没有说谎，但是我没法相信表哥的话。

"孩子们，来吃饭了。"

听到奶奶的叫声，我们立马起身跑了过去。奶奶用爸爸亲自

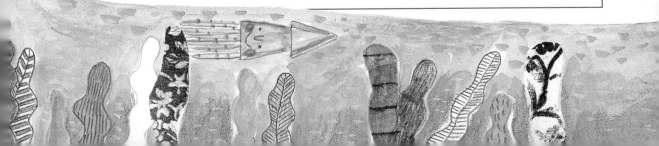

抓的红蛤熬了

很好吃的粥。

可能是刚打完水仗有些饿

的原因，粥特别美味香甜。我正吃得

不亦乐乎，小民表哥突然喊道：

"啊！狗食！"

刚才还吃得好好的松儿悄悄放下了勺子，说：

"哥哥，这是狗食啊？那我不吃了。"

"不是……"

"是奶奶叫表哥给小顺子喂食，但是表哥把狗的饭盒忘

在了酱坛子上面。小顺子肯定是在没有人的家里，望着饭盒饿

了一天呢。"

西边的天空中，太阳的脸已经垂得很低了。地上的影子开始

变长，阳光也黯淡了下来。

回家的路上，在村口就听到了小顺子的叫声，奶奶一进门就

赶紧去准备小顺子的饭。昏暗的天空中，星星们悄悄地露出了笑

脸。奶奶用手指着一颗星星说：

"那边，正好能看见长庚星。"

松儿用奇怪的眼神看着那颗星星。

"长庚星？奶奶，什么星星起了这么个名字啊？"

小民表哥也插了一句：

"那个好像是金星啊？"

"奶奶小的时候就叫它长庚星。晚上做完农活回到家的时候，狗就会叫着要狗食，那个时候也能看见这颗星星，因为它落得比太阳晚，所以就叫做长庚星。"

我第一次知道金星还有像"长庚"这么有趣的外号，赶紧趁忘记之前记在了纸上。

奶奶告诉我们，金星除了这个名字，还有别的名字。凌晨在东边的时候，就叫启明星；傍晚在西边的时候，就叫太白星。

"奶奶，您在白天见过长庚星吗？"

"这个嘛，没见过。但是长庚星确实很亮，奶奶小的时候，因为村里没通电，所以一到晚上四周就会变得漆黑一片。没有月光的除夕夜里，如果有事要去隔壁村子，就害怕得很。但是如果那时候天上有长庚星的话，就没那么害怕了，它就像挂在天上的街灯一样明亮。"

听了奶奶的故事，我又觉得小民表哥说的白天也能看到金星的话是真的。这时候正好爸爸走到院子里，我就问了爸爸。爸爸说白天也能看见金星，爸爸还跟我约好，明天白天帮我找金星。

回到房间我正要换衣服，在裤袋里竟然摸到了一些沙子，应该是从海边带过来的吧。我把手放进口袋抖出了沙子，但是感觉手掌上还残留着什么东西。凑近一看，是闪耀的金色沙粒。金星的亮光也是这个样子的吗？

金星的"1天"比"1年"长?

在太阳系中，每个行星都进行着自转运动（自行旋转的运动）和公转运动（绕着太阳转的运动）。地球自转一周是1天，公转一周是1年。但是金星的自转周期为243天，公转周期为225天，所以金星的"1天"比"1年"更长。

乘坐潜水艇冲向宇宙！！

7月28日 天气：阳光明媚 沙粒闪亮

今天我想出了一个很酷的发明。稍微改造一下潜水艇，就能造出可以耐住金星强大气压的探测船。

明天去学校要告诉老师。

我好像是个儿童天文学家呢。

嘿嘿，心情不错。

 # 去金星看一看

猜一猜哪个是真的金星呢？其实三个都是金星。

大照片是把地形的高度以颜色区分开来的，又亮又红的颜色是高的地方，又暗又紫的颜色是低的地方。下面的小照片当中，左边是被厚厚的大气笼罩着的金星照片，右边是利用绕着金星转的雷达得到的数据合成的照片。

金星

被大气笼罩的金星　　用雷达拍照的金星

马特斯火山

照片中间很亮、像山一样升起的部分就是马特斯火山。照片下方很亮的部分是熔岩流下来的痕迹。

长得跟我的猪宝宝很像呢。

猪形状的地形

长得像肥猪吧？这个形状是由金星土地深处滚烫的物质顶起地表面形成的。

是不是因为长得像虫子，觉得可怕呢？不要害怕，这只是金星表面长得像虫子的神奇地形而已。这个形状也是因火山爆发面形成的。

虫子地形

宇宙中的短跑选手
——流星和彗星

妈妈输了，她把脸对着院子里的榉树喊着：
"很美丽的木槿花盛开了。"

很 美 丽 的 木 槿 花 盛 开 了

我和松儿立刻前进了两步，再走一步就可以成功了，妈妈笑着转过了头。

　　"非常美丽。"

　　啪，我拍了一下妈妈的腿，立刻转身就跑。但是没跑几步我就摔倒了，想要超过我的松儿也跟着倒下了，还好身下是柔软的草坪，没有受伤。我趴在地上对松儿眨了一下眼睛，静静地一动不动。妈妈很着急地跑过来晃着我们俩的身体。

　　"我们没事！嘿嘿。"

　　我们狡黠地一笑，睁开了眼睛。妈妈说，小淘气，就知道你们会这样。她笑着和我们一起躺在了草地上。爸爸从窗户望着我们，他拿着相机出来，拍下了把妈妈的胳膊当枕头躺着的我们。

咔
嚓

随着太阳的升高，风渐渐地热了。凝结在额头上的汗珠顺着脸颊流了下来，松儿依然兴高采烈地缠着我们要继续玩"木槿花游戏"。

"爸爸告诉你一个新的游戏。"

我们围坐在树阴下，爸爸的照相机又发出了"咔嚓"的声音。

"这是1秒，在这咔嚓的1秒之内，说出由10个字组成的'很美丽的木槿花盛开了'这句话，谁先来？"

"1秒内能说完那10个字吗？"我们练习了几次，发现还真的可以，1秒钟的时间比我平时想象的长多了。

"但是爸爸，为什么要玩这个游戏呢？"

"练好了，以后会有用的。"

松儿一下午都在念叨着"很美丽的木槿花盛开了"。我想出去玩，但是天气太热了，朋友们都不出来。没办法，我把电风扇放在旁边，跟松儿玩起了积木游戏。我就快搭完几天前在漫画书上看到的飞行船的时候，发现少了一块作为翅膀的积木。真可惜，再多一块积木该多好啊……

"对了，下个月我的生日就到了！"

"妈妈，我有个愿望，我想要积木作为生日礼物。"

"上次不是说想要书吗？"

"嘻嘻，两个都给就最好了。"

正在玩人偶游戏的松儿也竖着耳朵听到了我们的对话，便缠住了妈妈。

"我也有个愿望，想要小狗玩具和过家家。"

"我们家的小不点们想要的东西还真是多啊，怎么办呢？不如趁这个机会告诉你们可以实现很多个愿望的方法吧？"

"不是吧，有那种方法吗？快点告诉我们吧。"

妈妈说不能白白告诉我们，松儿和我各给妈妈捏了300次胳膊和腿。之后，我们期待地等着妈妈的话。

　　"流星落下的时候许愿，愿望就会实现，你们听说过吧。"

　　"但是我们几乎没看见过流星，它既不经常出现，也不容易看见……"

　　"其实，在能看见很多星星的地方，一小时就能看见三四颗流星。妈妈小的时候，每次想许愿时，就会跑到村子里的山上去找流星。很简单！我们今天晚上要不要去看流星？"

　　我们全家人在深夜里开着车出了门，爸爸说去离家不远的山上。车行驶了一会儿，周围变得越来越暗了，离开石板路进入了泥路。车子颠来颠去的，感觉像是坐在旋转木马上。爸爸在山顶附近找了个平坦的地方停了车，山下都市的灯光一闪一闪，好似漫天的星星。

　　"今天晚上要许好几个愿望，因为会有很多流星。"

"不要担心啦，已经想好了几个。"

铺上凉席，我伸直了双腿躺在上面。天空晴朗，星星可以看得很清楚，从中我也看到了几个熟悉的星座。我骨碌碌地转着眼珠看着天空……

"哇！是流星！"

"呃，那里也划过了一个。"

"干什么呢，要赶紧许愿啊！"

好像被我们的声音吓到了似的，流星划过的速度似乎更快了。

松儿和我的眼睛认真地追随着流星。

差不多许下所有愿望的时候，爸爸指着星星给我们讲起了星座的故事。而松儿不知道什么时候已经进入了梦乡。

"爸爸，我想以流星为主题写一个体验学习报告。"

"好想法啊，我会帮你的。"

爸爸的话音刚落，又有一颗流星划过。

"刚刚掉下来的流星，是什么颜色的？"

"是绿色。"

我立刻把流星的颜色记在了观察记录本上。据说流星的颜色是随着掉落的速度而变的，掉得快的流星因为燃烧得很热，所以是绿色；掉得稍微慢一点的，因为没有那么热，所以就发出黄色或者红色的光。当然这个常识也被我记在了观察记录本上。

　　"掉落的方向是哪边？"

　　"那……边……"

　　我只看到流星掉在了山的那一边，但是因为不知道那是哪个方向，所以没有说出来。爸爸教给了我通过守卫北方天空的著名星星——北极星来判断方向的方法。我面对北极星站着，展开双臂。爸爸说右手方是东边，左手方是西边，后脑勺的方向是南边。

　　"找方向原来很简单嘛！还有，刚才的流星落在了东边。"

　　"说得好，应该能写出个很好的报告哦。那么，是几秒之内掉下来的呢？"

　　"啊？那是瞬间的事……怎么可能判断时间啊。"

　　"有办法啊。"

　　爸爸一下子躺在了凉席上，喊了两遍"很美丽的木槿花盛开了"。我正歪头想着"爸爸这是怎么了？"正好天边划过一颗流星。同时，爸爸喊到"很美丽的木"就停住了，然后说是"0.5

秒"。过了一会儿又掉下来一颗，正说到"很美丽的木槿花"，然后说是"0.7秒"。

"啊哈！白天练过的'很美丽的木槿花盛开了'在这个时候可以派上用场了啊！"

又一颗流星嗖地划过了，我也跟着做了一遍，在"很美丽"停住了。

"这次划落得真快，流星是0.3秒之内掉下来的吧？"

"阿哲，不错嘛！就是那样。"

爸爸和我高兴地互相击掌，测量流星时间的方法真是又好玩又简单。

所以，最好是先练好在1秒之内说出"很美丽的木槿花盛开了"这10个字。然后，从流星出现的时候开始说，在流星消失的时候停止就可以。把观察方法也记下来，便完成了一份像模像样的流星观察报告了。

我来到妈妈旁边枕着妈妈的胳膊躺下，以又满足又兴奋的心情望着天空。

"妈妈，我很好奇，为什么今天会有这么多流星？"

"是为什么呢？想解开秘密的话，要探险宇宙，要不要闭上眼睛？"

妈妈和我乘坐着"想象宇宙飞船"飞了起来，飞到天空高处，越过月球、木星和土星，跑得更远、更快，靠近了太阳系的边缘。

　　"我们在宇宙飞船上观察太阳系的中心部分，应该能看见环绕着太阳系的圆状东西。我告诉你这是什么东西，跟着我做。"

　　"凹凸不平。"

　　"凹凸不平。"

　　我学着妈妈的话。

　　"长得很丑的。"

　　"长得很丑的。"

　　正好奇下一句话会是什么，结果却让我很意外。

　　"土豆！"

　　"啊？是说太阳系的中心有土豆吗？"

　　"哈哈！开玩笑啦，重新告诉你吧，其实是凹凸不平长得很丑的土豆形状的冰块聚在一起，叫做'奥尔特云带'。这些冰块

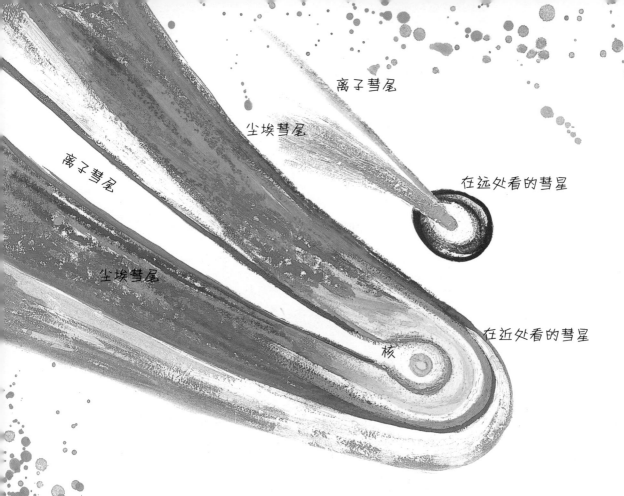

离子彗尾

尘埃彗尾

离子彗尾

在远处看的彗星

尘埃彗尾

核

在近处看的彗星

跑着跑着，要是到了太阳附近会怎么样呢？"

"太阳那么热，应该会融化吧。"

"对，就是会融化。融化的时候，冰块中的尘埃或气体会喷出来，形成长长的尾巴。知道那是什么吗？"

"嗯，长着尾巴的……想起来了。彗星，是彗星。"

以前在科学书上看到彗星尾巴照片的时候，觉得又帅气又好奇，没想到它居然只是从冰块里出来的尘埃和气体……但是，它可以从远方的宇宙飞过来，我觉得它真是个很了不起的家伙。

"原来彗星不是随便从哪个地方来的啊。"

"嗯，它原本是守卫着我们太阳系中心的冰块。"

靠近太阳的彗星们虽然又飞回去寻找它们的故乡，但是有些因为换了方向，经过数十年，或者数百年才能重新回到太阳身边。

"来，联想一下持续环绕太阳周围的彗星，彗星飞过的地方会留下什么呢？"

"彗星尾巴上的尘埃颗粒？"

"对了！但是仔细想想的话，我们地球不是也绕着太阳转吗，如果地球经过彗星留下的尘埃地带的话……"

"尘埃会掉到地球上吗？"

"会的。"

从彗星里出来的尘埃碎片被地球的重力所吸引，以飞快的速度掉落，然后和大气圈相遇，就会和空气碰撞、变热、燃烧。这就是流星产生的原理。

我仰望天空，正好有一颗流星划过。

"哇！那么流星就是彗星的尘埃碎片了？"

妈妈点了点头，然后抓着我的手向着天空一起晃了晃。

"再见，彗星！再见，流星！"

以后看到彗星，也许可以想象到更加浩瀚的宇宙。那横穿远方的宇宙，旅行那么长时间来找我们的冰块彗星。这样神奇的彗星，它的碎片还落到地球，给我们展示美丽的光束——流星。

爸爸在日历上标出了在1年中，所有像今天一样流星很多的日子。我一定要告诉想许愿的朋友们。

向流星许愿

8月12日 天气：漆黑的天空，明亮的星光

　　这一天，我见到了自出生以来看到最多的流星，一口气许下了12个愿望。

　　你要问我许了什么愿望？当然不能随便告诉别人了。

　　嘻嘻，因为这是我一个人的秘密。

　　真希望所有的愿望都能实现。

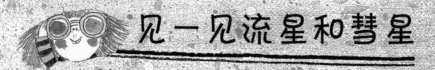

见一见流星和彗星

名字	看得最清楚的一天
象限仪座流星群	1月4日
天琴座流星群	4月22日
水瓶座 η 流星群	5月5日
水瓶座 δ 流星群	7月28日
英仙座流星群	8月12日
猎户座流星群	10月21日
金牛座流星群	11月3日
狮子座流星群	11月17日
双子座流星群	12月13日

好好记住这几天，一年当中的这几天都可以许愿。

因为这些都是可以见到很多流星的日子。

先想好要许哪些愿望吧。

只有这样，到时候才能一个不落地都许上！

海尔-波普彗星之一

海尔-波普彗星之二

这张照片摄于1997年3月，历经4200万年来到地球的海尔-波普彗星。尘埃彗尾和离子彗尾是不是很漂亮啊？

百武彗星

1996年1月31日，日本业余天文学家百武裕司第一次发现的彗星。

孩子们，快来看！是彗星！

只要有一颗彗星，实现一百万个愿望应该都不是问题……

啊哈！你好，彗星。要多撒点将会成为流星的碎片哟。

彗星的尾巴又长又漂亮。

漫长的
火星之旅

　　爸爸去了天文台。可能是因为没有爸爸在身边的缘故吧，松儿紧跟在妈妈身边不愿意离开。这样一来我要做的事就变多了，收拾饭桌，晾衣服，还要整理桌子。妈妈摸着我的脑袋，直夸我是个乖孩子。

　　"嘻嘻，爸爸不在的时候要睡在妈妈旁边。"

　　在大房间里铺了睡得下三个人的被子。正要关窗户，凉爽的风掠过了鼻尖。妈妈说秋天已经到了，便给我找出春天穿过的睡衣。我换上了睡衣，发现袖子和裤腿变短了。

　　松儿在后面嘎嘎笑着说：

　　"哥哥好像稻草人啊！"

　　"别笑，是我的个子长高了，羡慕吧？"

　　我赶紧和松儿跑到了标着我的身高的衣柜旁，我量了一下，比春天的时候整整高出了一个拳头。松儿也测量了身高，抱怨自己没怎么长高。

"乘宇宙飞船的话个子马上就会变高的。"

妈妈的一句话让我和松儿眼前一亮。

"真的？要怎么做啊？"

"我们到了宇宙里，就不会受到地球的重力影响，这种状态叫做无重力状态。那时候我们身体里的骨骼间隙就会比在地球的时候大，所以个子就会变高。"

静静在一旁点着头的松儿突然站了起来，用被子盖住了妈妈和我。我们期待着会发生什么事情，便一动不动地等着。一会儿传来了开衣柜的声音，过了一会儿又传来了松儿的声音。

"好了，看我漂亮吗？"

眼前是戴着妈妈的帽子、爸爸的墨镜，像披披肩一样披着条纹裙子的松儿。

"这是在宇宙飞船里要穿的衣服，帅气吧？妈妈说个子会变高，我特地穿了大一点的衣服。"

"哈哈！不像宇航服，倒像是外星人的衣服！"

松儿不理会我的笑声，在镜子里照着自己的样子，说很喜欢自己的宇航服。然后她扑到妈妈的怀里，缠着妈妈讲宇宙旅行故事。妈妈说爸爸知道的宇宙旅行故事更多，想推到爸爸身上，但是松儿继续缠着妈妈。"就那么想长高吗？"妈妈抵不住松儿的纠缠，拿出了长得像地球仪的火星模型和宇宙飞船模型。

"知道了，那我们出发去火星吧？"

妈妈把火星模型放在被子中间，关掉了灯。房间里本来就很黑，加上宇宙飞船前面的灯闪个不停，感觉真的像在宇宙中旅行。我们正期待着，妈妈突然说了句："等一下！"

"不要以为乘着宇宙飞船去火星探险是很容易的事，你们能保证不会刚到那里就吵着要回地球吧！"

松儿和我很自信地回答能保证，妈妈还说即使是速度很快的宇宙飞船，从地球到火星也需要8个月左右。

"还想去吗？"

"那样还是能忍的。"

"总是待在宇宙飞船里，肯定会很闷，那怎么办呢？"

这次是松儿回答：

"没关系，拿着娃娃玩就行。"

"身体可能会变得很虚弱，所以还要加强锻炼……"

松儿用手堵住了妈妈的嘴。

"妈妈让我做的我都会做的，快点给我讲火星探险故事嘛！"

妈妈轻轻一笑，启动了宇宙飞船。我的眼睛随着妈妈手里的宇宙飞船，望向了火星。宇宙飞船渐渐靠近了火星，被宇宙飞

船前方射出的光线照射，火星露出了红扑扑的脸。宇宙飞船绕完火星一圈之后就停了下来。

"这里就是奥林匹斯山，是非常高的火山。比地球上最高的山珠穆朗玛峰还要高三倍呢。"

火星上居然有那么高的火山，我吃惊地张大了嘴。

"那么，现在看过了山，我们再去河谷看看，怎样？"

"好啊，还能打水仗吧。"

妈妈说，我们要去的河谷里是没有水的。这时，宇宙飞船调转方向，我们眼前出现了横跨火星中部的大河，那就是传说中的水手谷。河谷的长度是5000千米，幅度最宽的地方达到100千米，你简直无法想象它有多么巨大。我们沉浸在妈妈的故事当

北极冠

水手谷

中，听得入了迷，就好像真的在火星上一样。

然后妈妈又带我们去了到处都是冰的北极冠，宇宙飞船滑翔着在北极冠着陆。据说这里像地球的北极一样，也是由冰块和干冰组成的。

松儿晃着脑袋问干冰是什么。

"呃？你那么喜欢吃冰激凌，怎么会不知道干冰呢？干冰就是在包装冰激凌的时候，为防止融化和冰激凌一起放在里面的冰块。冒着白气的那个……

看到我得意洋洋的样子，松儿斜着眼睛问：

"那干冰是用什么做的呀？"

"这，这个……"

我回答不出来了，真后悔当初没好好弄清楚干冰是怎么做

第259天，到达火星

出发

第972天

第714天

第259天

太阳

地球   火星

第1天

出来的。

"干冰的成分其实就是二氧化碳，不过是已经结成了冰的二氧化碳。还有，阿哲啊，妹妹有不懂的问题，作为哥哥，是不是应该很亲切地教给妹妹呢？"

"是啊，应该亲切地教我吧？"

松儿重复着妈妈说的话，冲我吐了吐舌头。

"因为我是亲切的妹妹，就原谅你了。自以为是的哥哥，我们去火星开个冰激凌店吧，那里不是有很多干冰吗。"

"呀！好主意。"

我拍手叫好，妈妈却有点担心地说：

"那里的气温大概是零下70℃，这么冷的天谁会买冰激凌啊？"

"……"

"好了，我们去别的地方看看吧？"

妈妈和我正仔细观察着火星，松儿眨着充满睡意的眼睛说：

"妈妈，我有点困了，我们回地球吧。"

"这可怎么办呢？现在不能马上就回去。"

地球和火星绕着太阳转的时候，有时候离得近，有时候离得远。离得最近的时候可以回到地球，但是，需要在火星静静等待

1年3个月左右。

妈妈话音刚落，松儿呼啦一声盖上被子喊道：

"我不去，太久了。"

居然要花那么长的时间！看来要去火星探险可不是件容易的事。不过，我还是下定决心，长大后一定要去一次火星，要探究出火星的秘密，也许还会遇到可能存在于火星的生命。虽然火星离我们很远，但我的脑海里却浮现出了火星的神秘样子。这时，身边传来了松儿的梦话：

"我，还是喜欢地球。"

火星上有生命吗？

看过电影《火星人玩转地球》和《世界大战》吗？这两部电影演绎的都是从火星来的外星人入侵地球，使地球处于一片混乱的故事。但是，大家为什么会觉得外星人是从火星入侵的呢？

这是因为火星具有与地球相似的生存环境，所以人们认为火星上有生命存在。火星虽然比地球小，但是密度差不多，一天的时长也差不多。再加上在火星表面发现了水流过的痕迹，所以人们就更加相信火星上有生命，因为水是生命存活所必需的要素之一。人类向火星发射了很多次探测船，但是都没有找到生命的迹象，只是凭着水流的痕迹推测，很久以前火星上应该有过生命。

去火星时要准备的东西

　　这是我要乘坐的火星探测船，因为要拿的东西很多，所以我把它造得很大。太空食品要装满，如果肚子饿了，就不能聚精会神地探测火星了。我还没有想好内衣要几天换一次。

去火星看一看

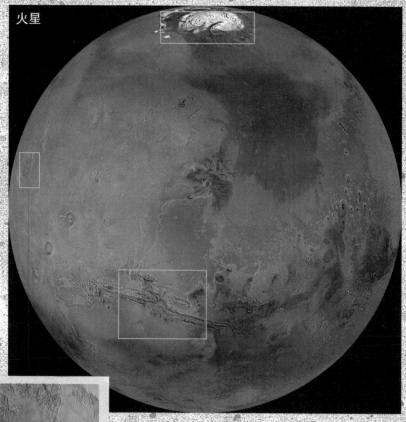

火星

奥林匹斯火山

虽然表面上看起来很平坦，不是很高，但实际上它是整个太阳系最高的火山。从火山口慢慢流出的熔岩，导致山的覆盖范围变得很广，所以就成了现在的样子。

北极冠

大火星照片里的白色部分叫做北极冠，就像地球的极地一样，常年被冰覆盖着。

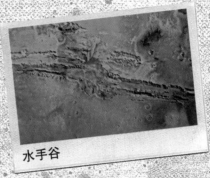

水手谷

水手谷的长度达5000千米，是不是有点难以想象啊？这个长度相当于首尔到釜山的距离的12倍左右，很壮观吧？

水流过的痕迹

这是在火星表面，水流过的痕迹。科学家根据此现象推测火星上可能存在水。为了探明火星上有没有水，科学家们正在努力研究这种痕迹。

阿哲想不想探个究竟啊？

呀，是火星！

会有生命存在吗？

飓风刮个不停的木星

趁着周六休息，我们全家去济州岛旅行。爸爸说从仁川港坐船去，我还以为这次可以把大海看个够，没想到我们坐的是傍晚的船，没过多久天就暗下来了，外面漆黑一片。

"天这么黑，什么都看不见啊！"

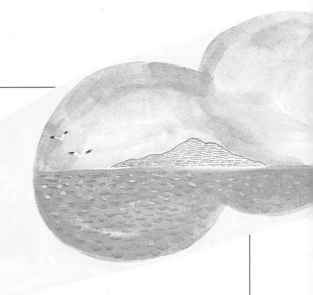

　　失望的松儿嘟囔着进了船舱，我也打算进去睡觉。

　　"啊，是济州岛！济州岛！"

　　被人们的喧闹声吵醒，我睁眼一看，天已经亮了。我揉了揉眼睛，一骨碌爬起来，走到了甲板上，济州岛真的已经在眼前了。原来，当我们在梦乡中沉睡时，船一刻不停地行驶在大海上。

　　我从望远镜里仔细观察了济州岛。

　　"爸爸，济州岛是怎么形成的？"

　　"经过几次火山活动之后就形成了，这是数十万年前的事了。"

　　几十万年前啊，爸爸的话勾起了我的好奇心，我突然想亲自到济州岛上仔细研究一番。

到了济州岛的第一天，我去了几家博物馆，在那里观看了许多树木和动物。虽然走了一天的路有点累，但或许是因为很多东西都是第一次看到，我感到又新鲜又兴奋，很快就忘记了疲倦。回到住处，吃过晚饭之后，我们去了海边。

"要不要看看星星？"

爸爸架好望远镜，对准西边的天空。

"今天我们一起观测木星。"

木星个头那么大，用望远镜看应该很带劲儿，我的心激动得怦怦直跳，使劲瞪着眼睛凑近了望远镜。

"啊，只看到了黄豆一样大小的东西，这不会就是木星吧？"

"没错，这就是木星呢。"

怎么会这么小！期望越大，失望也越大。

"因为离得太远了，所以看起来很小。从地球到木星的距离有6亿多千米，爸爸开着车以每小时100千米的速度不停地行驶，也要花上700年左右的时间才能到木星呢。"

"原来木星真的很远，难怪它那么大的个头，在地球上看起来却像黄豆一样。"

　　夜空越暗，木星越明亮越清晰。木星表面还出现了一条褐色条纹，记得以前在书上看过几次，所以觉得眼熟。

　　"看见条纹下面长得像鸡蛋的东西了吗？"

　　为了看得仔细一些，我闭上了一只眼睛。火星表面出现了鸡蛋形状的点。

　　"那个就叫大红斑，是巨大的旋涡。"

　　"为什么会出现这种东西呢？"

　　"木星的自转速度很快，是地球的2倍。再加上木星是充满气体的行星，所以根据它的位置，风会交错着方向吹。在那些地方，就会产生像大红斑一样的旋涡。"

听了爸爸的说明，我感觉大红斑就像是地球上的台风眼。

"大红斑的旋涡非常大，能装下两三个地球呢。"

现在我觉得望远镜里的木星越来越大了。

"看见木星旁边排列着一些像玻璃球一样的东西了吗？那些星星是木星的卫星，就像绕着地球转的月球一样。一共能看见几个？"

"右边有一个，左边有三个。右边的好像紧贴着木星呢。"

"那是卫星'伊奥'，是经常发生火山爆发的地方。"

一听到"火山"两个字我就眼前一亮，爸爸说济州岛也是因为火山爆发形成的，那么伊奥上也会有很多岛吗？

爸爸翻开书给我看了伊奥的照片，还告诉我，由于火山活动很频繁，伊奥的形状经常会发生变化。

"伊奥的火山爆发为什么那么频繁啊？"

在旁边跟妈妈玩耍的松儿过来问。

"是因为手风琴效果。"

"手风琴效果？"

爸爸看着歪着头的我们继续说：

"伊奥围绕着木星转（公转）的时候，是以很瘦的椭圆形状转的。所以靠近木星的时候，它就向旁边拉长，远离木星的时候又缩回原形，就像我们拉手风琴一样。"

伊奥一直重复着向旁边拉长又缩回原形的过程，这样一来，伊奥内部的物质就会发热，所以就容易引起火山爆发。

幸亏地球离木星很远，不然地球上的火山也会经常爆发的。

济州岛探险第二天，我看了天气预报，说是南边有台风在靠近。虽然外面起风了，但是天气仍很晴朗，所以我们决定按原计划探险济州岛。

今天的路线是去谷子沃，谷子沃是指树木和藤萝繁茂的树丛、铺满了高低不平的石头的地方。刚要开始探险，风突然变得很猛，天一下子黑了下来，天空中顿时乌云密布。

"在台风面前低头，就不是男子汉！"

"让我看一会儿再走吧，好不好？"

我缠着爸爸妈妈继续探险，我第一次看见这些以前从未见过的植物，还有样子很古怪的苔藓，我禁不住好奇心，一直走到了丛林的深处。

"滴答滴答"，天空中突然落下了雨点，刹那间，风力变强，树枝在疯狂地摇摆。我突然觉得有些害怕了。

"妈妈，爸爸，松儿！你们在哪里啊？"

周围只有风声雨声，看不到一个人影，我紧张地吸了一口气，现在喊破了喉咙也没有用，丛林里大雾弥漫，看不清前方的路。我拨弄着树枝前行的时候，衣服被树枝刮破了，连内衣也被雨水淋湿了，我冷得瑟瑟发抖，又紧张又心慌，急得眼泪都流出来了。

这时候，我抬头看到了拴在树枝上的红丝带，再回头看看后面也有红丝带。有办法了，我把红丝带当做向导，一路跟着它走。当路过第15个红丝带的时候，我眼前一亮，看到了宽敞的大

道。我心想"终于可以活着出去了"，于是拔腿就跑。

到了大道上，正好碰到了焦急的爸爸妈妈。刚才他们在树丛里找了我半天呢。

"阿哲啊，以后可不准一个人行动了！"

妈妈深深地叹了一口气，"啪"的一声打了一下我的屁股。

由于刮台风，船和飞机都被拴住了脚，我们不得不在爸爸的朋友家打扰了3天。

爸爸的朋友在气象台工作，在他家停留期间我听了很多关于台风的故事，还看到了人造卫星拍摄的台风照片。

"台风的照片很像木星的大红斑啊！"

"爸爸给你讲过的知识还记

得不错嘛，但台风和大红斑还是不一样的。”

　　妈妈给我讲了台风和大红斑的差异。

　　“在地球生成的台风，由于和地面摩擦，所以几天之内就会变弱。但是木星上面没有坚硬的表面，而是覆盖着厚厚的大气层，所以旋涡一旦生成，就不会消失。”

　　木星的巨大旋涡在300年前第一次被发现，据说直到现在它还维持着当初的样子。地球的台风在几天之内就会消失，这真是万幸。

小心木星的旋涡！

10月11日 天气：白云间闪烁着一两颗星星

我想象了一下木星的表面，那一定很神奇。到了木星之后，人不能随便把脚踩在上面，因为木星表面没有可以踩的地面。特别是经过鸡蛋形状的旋涡——大红斑时，尤其要小心。

去木星看一看

木星

大红斑

长得像鸡蛋的圆圈是木星最大的旋涡——大红斑。

大红斑大得可以装进两个地球。

靠近木星的时候要注意别卷进大红斑的旋涡里。

自转的木星

这是木星的照片。大红斑是不是从左边移向右边呢？通过这一现象，我们可以得知木星在自转。

木星的四大卫星

这是木星的卫星。左起分别是伊奥、欧罗巴、加尼美德和卡利斯托。

伊奥的大小和月球差不多，火山活动很频繁。

欧罗巴的表面由冰覆盖着。

加尼美德是太阳系中最大的卫星。

卡利斯托的大小和水星差不多，表面有很多环形山。

是火山！青紫的色调是不是很像生气的脸啊？

呜哇，伊奥长得真丑。

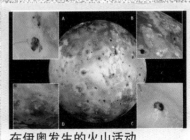
在伊奥发生的火山活动

由尘埃和石头组成的土星光环

今天是行驶在土星光环上的宇宙飞船举行跑步大赛的日子。到会场一看，那里已经有好几艘宇宙飞船了。有的飞船由大帆布装饰成了帆船，有的像敏捷的秃鹫，也有像乌龟一样样子搞笑的宇宙飞船。我的宇宙飞船会让人联想起可爱的海豚，这是我自己做的。

发令枪一响，宇宙飞船就拼命地飞了起来，轻轻

地浮在土星的光环上，就像滑冰一样前进着。土星表面美丽的条纹飞速闪过，漆黑的天空中，明亮的星星一闪一闪的，就好像是观众的眼睛。

"哇！在近处看，还是土星更帅气哦。但是，别的宇宙飞船都到哪里去了？"

当我只顾聚精会神地观赏土星风景的时候，我已经落在了最后面。我赶紧调整好心情加快了速度，一艘，两艘，开始慢慢超过前面的宇宙飞船。

"啪！"

通知还剩最后一圈的信号光照亮了操纵席的窗户，我把宇宙飞船的速度调到了最大限度。整个机身都偏向了一边，我感到有种要把身体压碎的强大力量传来，我不得不使出吃奶的劲儿抓住操纵杆。好不容易超过前面的宇宙飞船，跑到了第一名，终于看到了终点线。

"再走一点就赢了，再走一点……"

"哥哥还上不上学啦？懒虫！"

原来刚才发生的一切只是在做梦。我眨了几下眼睛，看见了松儿的脸。

“你这个讨厌鬼！都怪你，错过了奖杯。”

我把松儿赶到屋外，蒙着被子又想回到梦乡，继续刚才的比赛。但是可能刚才太兴奋了，怎么也睡不着了，竞赛场、我的海豚宇宙飞船，都像在阳光下融化的雪一样消失了。太可惜了，屋外只传来松儿“哐哐哐”敲门的声音，而梦乡的大门却再也打不开了。

我掀开被子，松儿打开房门，探出脑袋吐了吐舌头，我一气之下把枕头扔了出去。枕头在空中转了一圈，正好砸向挂在天花板上的行星模型。枕头和挂着行星的线缠在了一起，哗啦一声掉了下来。我急忙坐起身子想接住行星，右手、左手、两条腿都用上了，好不容易接住了掉下来的行星，但是土星“嘭”的一声撞到了头，转头一看，土星的光环摔断了，散落在地板上。

“哎呀！这可是松儿最喜欢的，这可怎么办啊？”

松儿一看到摔坏的土星光环，伤心地哭了起来。

“快点把我的土星救活，呜呜！”

在妈妈的帮助下，好不容易哄好了松儿。我跟她约好放学回来一定修好。

时间不早了，我匆匆吃了早餐。一路飞奔，赶到学校。

今天有科学演讲，我们年级全体同学都聚到了学校最大的讲堂。随着讲台后面的白幕缓缓落下，灯也关了，四周变得漆黑，我们的喧闹声也变成了窃窃私语。"是什么演讲呢？"大家都好奇地望着。这时候屏幕上闪过一颗流星，出现了题目——《星座旅行和宇宙探险》。大家一起拍着手喊："哇！"

接着有一位老爷爷走上了讲台，据说他出版过很多关于宇宙故事的童话书。老爷爷就像讲从前的故事一样，给我们讲了许多关于星星和宇宙的趣事，还给我们看了很多照片，真的很有趣。

老爷爷解说旅行星座时，我觉得学校讲堂的天花板就像是乡下的天空。在一群星星当中，有一颗不合群的星星引起了我的注意。老爷爷说，他喊到三时，我们就喊"变大吧！"

"一、二、三。"

"变大吧！"

我们喊的声音很大，讲堂都被震动了。画面里的小点一点一点地变大，最后像大气球一样膨胀了起来，随后出现了围着圆形光环的土星。老爷爷用电脑操作着画面，把土星变大之后跟我们

说：

　　"同学们，给你们变个魔术吧？我会让土星的光环消失！"

　　大家都瞪大了眼睛仔细地看着。画面里的土星光环渐渐倾斜，最后神不知鬼不觉地消失了。

　　"哇！再变一次吧。"

　　老爷爷笑着，又变了一次土星光环消失的

魔术。他说，土星也跟地球一样，以太阳为中心公转，从地球上看，以29年为周期，可以分别看到光环的上侧和下侧。到了中间，光环就会消失，但是光环并没有跑到别的地方。

在地球上看的方向正好和土星光环的侧面吻合，所以才会看不到光环。就像是从侧面看一张很薄的纸一样，由于太薄了，所以觉得好像看不见。

"谁出来帮我一下？两个人就够了。"

老爷爷从举手的同学中选出了两名，让他们分别拿着透明的水桶和土星模型。

"想象一下这个水桶是巨大的游泳池，把土星移到这里面的话，会怎么样呢？会浮起来呢？还是会沉下去呢？"

听了老爷爷的提问，同学们各自说出了自己的想法。

"之前，老爷爷说土星比地球重得多，所以不可能浮在水上！"

"不对，虽然小石子会沉到水里，但是比那个大很多的原木会浮起来啊。"

"说的也是，那到底答案是什么？"

正确答案是"浮在水面"。老爷爷说："由于土星大部分都是由气体组成，所以比水轻，因此只要有足够容下土星的巨大游

泳池，就能够浮在水面。"老爷爷给回答正确的同学奖励了一张星星照片。

上完课后我去了一趟图书馆，借了今天给我们演讲的老爷爷写的书。回到家，妈妈和爸爸有事出去了，只有松儿一个人在家。

"早上真是对不起，哥哥给你把模型修好吧。"

"没事，土星光环我早就做好了。"

"真的？"

早上她还那么生气，现在却乐呵呵地笑着，真让人惊讶。不过我的心情也变轻松了，给松儿讲了今天在学校学的东西，还学着老爷爷的语气，一点不落地把我听到的故事都讲给了松儿。松儿眨着眼睛认真地听着。

可能是说话说多了，有点口渴，"有没有能解渴的？"我打开了冰箱，看见一个像扁面包圈一样的东西。那东西上面撒着白蒙蒙的粉，还嵌着几粒像巧克力块一样的褐色小块。我尝了一小口，味道有点奇怪。

"难道是新出的冰激凌？"我咬了一大口。

"啊，呸呸。"

好难吃，就像是嚼到了石头一样，差点把牙齿都崩掉了。嘴巴里又苦又涩，而且还有怪味，我赶紧吐了出来。

"哥哥，怎么了？"

松儿看到了掉在地上的冰块，惊讶得叫出了声，脸憋得通红，看起来真的有点生气了。

"呜哇！这不是我的土星光环嘛，又弄坏了！"

"哥哥给你修。"

我搓着手求她原谅，又扮鬼脸又作揖，她这才破涕为笑。

我找回早上弄坏的土星光环，贴上透明胶，涂上黏合剂。修理光环用了整整一个小时。松儿一直瞪着眼睛监视着我。我把缠在一起的线整理好，重新挂上了模型。这下松儿的脸色才好起来，我问松儿：

"这个冰块就是你做的土星光环啊？是怎么做的？"

"妈妈说土星光环是由冰、石头和尘埃组成的。"

"所以呢？"

"嗯……我把窗户缝和鞋柜角落里的灰尘都扫了出来，然后在院子里捡了小石头。"

"呃！然，然后呢？"

"然后我就把灰尘和石头放进了'过家家'的桶里，倒了点水搅拌均匀，然后放进冷冻柜里冷冻。"

"呜！别说了！"

原来刚才我吃到的就是这个怪东西呀，难怪漱了两次口还觉得嘴里不舒服，这下子我可再没有心情看星星了，还是早点上床睡觉吧。

土星光环的真实面目

11月7日 天气：秋雨哗啦啦下个不停

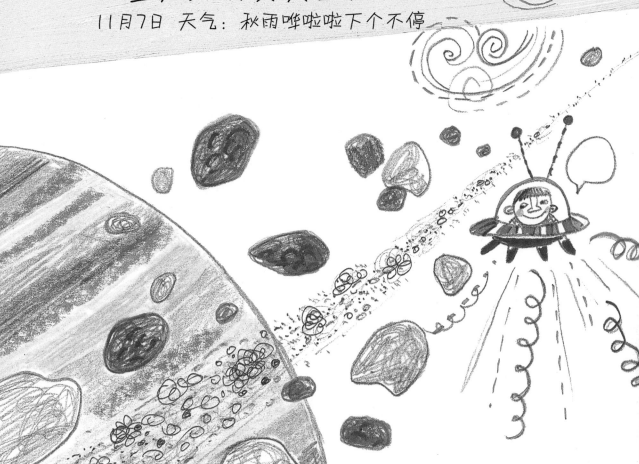

就像人一样，再帅的人，也有一点小缺点。

土星的光环同样如此。凑过去看的话，能看见冰块之间掺杂着许多灰尘和石头。

看到这幅图后，应该没有几个人能看出这是土星。

去土星看一看

土星

土星的光环在太阳系是最漂亮的。

土星的光环真的很漂亮吗？

但是土星的光环是冰、石头、尘埃之类的东西聚在一起形成的。

真的是这样吗？

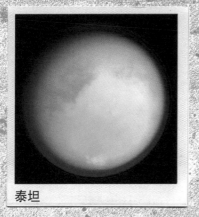
泰坦

泰坦是最大的土星卫星。

　　由于拥有和地球最初的大气很相似的大气，土星备受科学家们的关注，一直被仔细研究。

恩克拉多斯

　　这是名为"恩克拉多斯"的土星卫星，也是由冰覆盖的地方。

许珀里翁

　　许珀里翁也是土星的卫星。这里很难找到平地，表面都是凹凸不平的。

米玛斯

哈哈！是土星的卫星米玛斯，不要觉得恶心。

呜哇！好恶心啊，长得像大大的眼球。

用望远镜发现的行星
——天王星

　　和爸爸妈妈一起在周末农场种蔬菜的时光好像还是昨天的事，但一晃一年过去了。今年有很多开心的事情，最值得一提的就是上周的大发现。我居然用自己的力量做出了那么令人骄傲的事情！现在想想我还觉得自豪，嘿嘿。

　　上周一的实验观察课，我们班被分为6个组。主要任务是调查自然界的朋友们，我们组要调查的朋友是星星。放学后，我直接去了家附近的图书馆，那里安静得只能听见表针滴答滴答的声音。我踮起脚尖，轻轻地走到了列有星星类的书籍的地方。正在到处搜索的时候，一本名为《和望远镜做朋友的十种方法》的书引起了我的注意。翻开书，"用望远镜观测天空，用望远镜寻找星星……"啊！我感兴趣的所有东西都在里面，就一口气读了下去。

第二天，我们组把星星的故事画在了一张大纸上。把关于星星的童诗、星座图、漂亮的星星照片相互对应地贴在上面。当然我搜索来的望远镜故事也贴好了。

"哇！做得真不错，一眼就能看见宇宙呢。"

老师称赞了我们，同学们都开心地笑了。

做完作业，我突然很想拥有一个望远镜。

"想和那些星星成为真正的朋友，就必需要有自己的望远镜，但是爸爸的望远镜又太大了……"

晚上，我把家人都召集到房间里。

"现在开始要召开家庭会议了，我来发表今天的会议主题。咚咚咚咚，给我买一个望远镜吧！"

爸爸妈妈好像有点吃惊。

"阿哲对宇宙的兴趣越来越浓了啊。"

"是的，要想和星星做朋友，我就得有自己的望远镜。给我买个望远镜，我会和松儿一起更加努力地学习有关星星的知识，嘿嘿！"

"爸爸去星星学校借一个小望远镜吧，在给你买望远镜之前，先熟悉一下用法，怎么样？"

要买望远镜的理由

(1) 可以亲近星星。

(2) 可以和松儿一起学习关于星星的知识。

"嗯……太好了！一定要好好教我哦。"

第三天晚上，爸爸拿来了有点小毛病的望远镜。

"虽然看起来不怎么样，但是性能不错，浓缩的都是精华，哈哈！"

它的大小正适合我随身携带。爸爸还告诉了我使用方法，因为之前我在书上看过，所以很容易就学会了。

发明天文望远镜之前，人们所知道的太阳系是很小的，因为只能用肉眼观测，最远只能看到土星。自从发明天文望远镜之后，人们第一次发现了土星外围的行星——天王星。天王星是在1781年，由英国天文学家赫歇耳发现的。只在照片上看过的天王星，能用这个望远镜观察到吗？

"爸爸，用这个望远镜能看到天王星吗？"

"当然，但是今天有云，所以不行，明天晚上一起找找吧。"

第四天，我一整天都在想着天王星。在学校也想，回到家也想，天王星一直在我的脑海里徘徊。我等不到晚上了。

"对，自己来找找看！"

我马上就开始了"寻找天王星计划"，上网，看星座书，还看了爸爸书架上的《宇宙科学》杂志。知道得越多，自信心就变得越强。我知道今天晚上天王星会逗留在水瓶座附近，于是赶紧把详细介绍天王星位置的星图打印了出来，感觉就像手里拿着夜空藏宝图一样。我期待着夜晚快点到来。

妈妈比平时回来得早一些，跟着爸爸也回来了，所以今天的

晚饭比平时吃得早。吃过晚饭，我就跑到了阳台上，关掉阳台的灯，漆黑的夜空中，满天繁星在调皮地眨着眼睛。我拿出星图确认了一下位置，然后慢慢移动望远镜，对准了天王星的方向。

我先做了个深呼吸，然后凑近望远镜。我看到众多星星中间出现了一个小而模糊的点，那就是天王星吧。

"耶！天王星，我找到天王星了。"

家人们被我的叫声吓了一跳，都跑到阳台上。爸爸妈妈也看了一下望远镜，夸我真的找到了天王星。

松儿的眼睛里也充满了好奇，爸爸把望远镜调到松儿能看见的高度。

"哥哥，天王星在哪里？"

"能看见那颗亮一点的星星吗？"

"嗯。"

"从那里稍微往下一点，能看见什么？"

"有颗暗点的星星。"

"很好，天王星就在那颗星星的上面。"

"哎哟，才这么点啊？跟小米粒似的。"

"是因为离得太远了，所以看起来很小。实际上天王星的直径是地球的4倍！"

"真的？天王星为什么比地球大呀？"

"……"

松儿的问题把我难住了，我把视线转向了爸爸，爸爸说：

"你们知道冰棱吧？为什么只有冬天有冰棱呢？"

"那当然是因为太冷了。"

"天王星比地球大的原因也是如此。"

我们歪着头想，爸爸接着解说。

"冰棱在火的旁边会怎么样？"

"会化成水，再加热的话，就会变成水蒸气飞到空气当中。"

"对，在冷的地方是固体，但在灼热的火旁边，就会变成气体消失！很久以前，太阳系行星生成的时候也发生了类似的事情。"

爸爸给我们讲了行星生成时候的有趣故事。

由于太阳周围实在是太烫了，所以很难有冰块。但是在离太阳很远的地方，由于太冷，冰块和尘埃贴在一起被冻住了。这就是天王星生成的地方，天王星就是这样渐渐变大的。

但是地球由于距离太阳近，所以无法变得像天王星那么大。

"啊哈，像地球一样在太阳附近的行星，没有可以拉拢的冰

块，所以不能变大，是吗？"

"对，留在太阳系内侧的尘埃聚在一起，形成了地球。"

原来行星大小不一都是有理由的啊……冬季夜空中的星星在闪闪发亮，虽然我还想多看一会儿，但是外面实在太冷了，身体都快冻僵了。我赶紧收拾好望远镜，刚想进屋，却看见松儿一个人呆呆地站在阳台上。

"你不冷啊？要感冒了，快点进去吧。"

“我还要待一会儿。”

“为什么？”

“不是说在冷的地方会变大吗？我想让自己也变大。”

“哈哈！”

虽然这是几天前发生的事情，但是我发现天王星的兴奋劲儿还是没有消减。以前在书上或者电视上见过天王星，但是当我自己发现它的时候，感觉更加新鲜。

我躺在床上望着挂在房间里的行星模型。太阳附近参差不齐地聚集着水星、金星、地球和火星。过了火星好像是很冷的地

方，木星、土星、天王星和海王星的个头都那么大。

今天梦之国宇宙飞船要去的地方是天王星，万一在天王星附近碰到比我还大的松儿该怎么办？

寻找星星，交给我吧！

12月20日 天气：寒风吹过，手被冻僵

有天王星
的地方

以后我的外号就是"找星星队长"。明天晚上要把小伙伴们都
叫过来，用望远镜给他们看天王星。下次找找海王星怎么样？

去天王星看一看

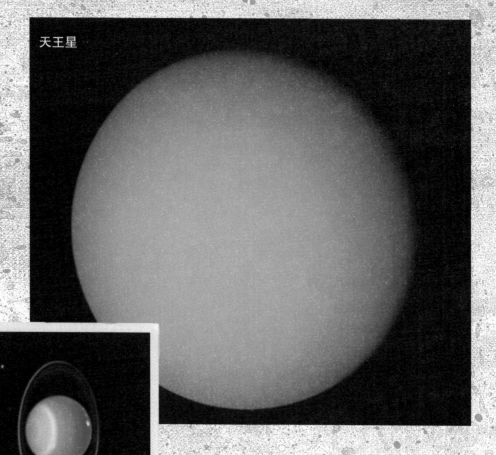

天王星

用哈勃宇宙望远镜观测到的天王星

哇，天王星也有光环啊？

米兰达

长得很难看吧？这是天王星的卫星米兰达。科学家们推测，米兰达之所以长得难看是因为：它经过剧烈的碰撞破碎过一次，之后又重新组合在了一起。

上面那个白色东西是冰吗？

乌姆柏里厄尔也是天王星的卫星。

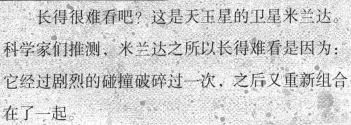

乌姆柏里厄尔

泰坦尼亚

这是最大的天王星卫星，还能看见它表面一些零星分布的像河谷一样的地形。

在海王星放屁会有气味吗？

　　姑姑家摆周岁宴，亲戚们都聚在一起庆祝小表弟的第一次生日。宴席上的菜肴很丰盛，我的肚子吃得饱饱的，还吃了年糕、柿饼和水果这些饭后甜点。吃完这些，我肚子变得更大了，还总是放屁。

　　跟亲戚们道了别，打道回府。车里很安静，爸爸在开车，妈妈和松儿好像在打盹儿。趁这个机会，我抬起屁股放了个屁。

　　"嘣！"

　　还好声音没那么大，我偷看了一下他们的脸色。

　　"呼，万幸，好像都没察觉到呢。"

就在这时，打盹儿的松儿翻了个身，然后睁开了眼睛。

"哼哼，谁放屁了？"

我装作没听见。松儿把鼻子凑到了我的屁股上，大声说：

"哥哥放屁了！"

"唉，反正都被发现了，放爽快点吧。嘣！嘣！嘣！"

刚才怕被发现一直忍着没放的屁这次都痛快地放出来了，车里充满了臭屁的气味。妈妈、爸爸和松儿就像约好了似的，同时打开了车窗。凉爽的北风吹了进来，我以为气味会飘走，但是这

时正好驶过一辆冒着黑烟的卡车，爸爸一边关车窗一边说：

"松儿，比起汽车尾气，还是哥哥放屁的气味要好一些吧？哈哈！"

快要到家的时候，在十字路口遇上了红灯，车停了下来。我们的车前面有一辆公交车，一听到公交车发动的声音，就觉得汽车尾气会飘进来，所以爸爸把只开了一点点缝的车窗也关上了。

"呃，真奇怪，那个公交车没有尾气啊。"

"原来是使用天然气的公交车，天然气是一种名为'沼气'的气体，这种燃料产生的有害物质很少，属于环保燃料。人们放的屁里面也有一点哦。"

"是吗？那看来我的屁也不是一无是处嘛，嘿嘿。"

"汽车尾气减少的话，空气也会变清新吧。"

"天空也会变得更蓝，晚上就能看见更多的星星了。"

我们回到了家。院子里洒满了冬季的阳光，一直望着天空的松儿问：

"哥哥，天为什么是蓝色的？"

"这个……海水不是蓝色的吗，是不是海水的光飞到了天上，所以天空看起来很蓝啊？"

　　虽然说得挺像样的，但是我对这个说法一点自信都没有，我用求助的眼神望着妈妈的脸。

　　"想象力真丰富呢！妈妈给你们讲个故事吧。知道彩虹吧？从太阳射出来的光就像彩虹一样有很多种颜色，太阳光到达地球后最先会遇到什么呢？"

　　"我在科学书上看过，是大气层吧？"

"对，阿哲真聪明。阳光通过大气层的时候，其他颜色的光都能顺利通过，但是蓝色的光一遇到空气，就会被反射到各个方向，所以就把天空染成了蓝色。"

　　松儿有点担心地说：

　　"那空气会很疼吧，肯定是蓝色的光撞到空气的时候太用力了，空气都变青了。"

　　"哈哈，松儿的想象力也很惊人哦。"

　　听了松儿充满稚气的话，大家都笑了。

　　"那海王星也有大气层吗？书上说海王星也是蓝色的。"

　　"嗯……海王星的表面几乎都是由氢气覆盖的，非常厚。还有，海王星的天空高处有由沼气组成的云彩。"

　　"啊？海王星也有屁里面所含有的，还能用于公车燃料的沼气？"

　　"是啊，当阳光到达海王星时，由沼气组成的云就会反射太阳光，变成蓝色。所

气体大气

冰地幔

岩石核

以，海王星看起来就是蓝色的。"

真是又神奇又令人惊讶的事实。松儿说有话跟我讲，对着我的耳朵悄悄地说：

"是哥哥放的屁飞到海王星了吗？"

"你敢捉弄我？想挨揍吗？！"

晚上我们一起做面条吃，妈妈煮面，爸爸做面汤，我放小菜，松儿摆了餐具。

"呃！又找到了一个，原来这里也有沼气。"

妈妈指着煤气说。

"厨房用的城市煤气主要成分也是沼气。"

"哇！原来沼气的功能这么多啊。"

沼气，这个词第一次听的时候是那么的陌生，但是现在觉得很亲切了。

松儿调皮地缠着妈妈说：

"妈妈，真可惜！应该留着哥哥放的屁，做菜的时候可以用。"

"哈哈！人放的屁里只有少量的沼气，要做一道菜，估计要存一个月左右吧。"

吃面条的时候，我一直想着怎么捉弄松儿。终于想出了一个好办法，我笑嘻嘻地跟松儿说：

"松儿吃完了吧？过来一下，哥哥有新发现的东西，只告诉你一个人。"

松儿满心期待地来到了我身旁，我立刻抬起屁股冲着松儿的脸放了个屁，"嘣嘣嘣"！

"这就是海王星牌屁！哈哈。"

蓝色世界——海王星

1月28日 天气：蓝天白云

在昨天晚上的梦里我去了海王星。

海王星如同大海一样湛蓝，蓝得让我沉醉。到了海王星附近，我的身体慢慢变成了蓝色。我吓了一跳。醒来一看，原来是一个梦。

去海王星看一看

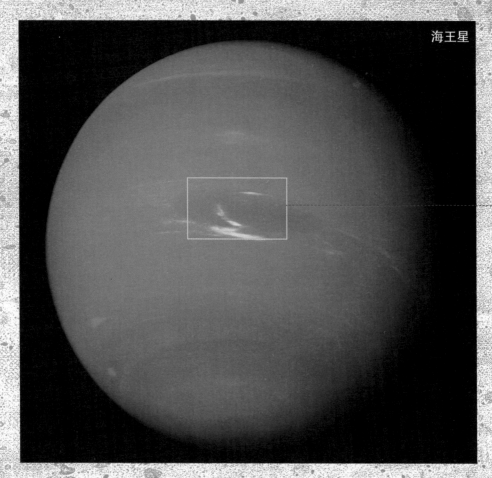

海王星

这是太阳系的最后一颗行星——海王星。

因为大气的上部由蓝色的沼气覆盖着，所以看起来是蓝色的。

海王星旋涡

看起来像白色泡沫的是海王星表面的旋涡，比地球大3~4倍左右。

白色的泡沫就像是奶昔一样。

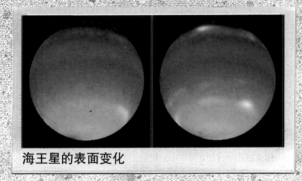

海王星的表面变化

这张照片是用哈勃宇宙望远镜观察到的海王星。

都是海王星，但是样子不同吧？

这是因为围绕着海王星大气的云移动了。

海王星的卫星特里顿

这是海王星的卫星——特里顿。大部分卫星的自转方向和公转方向是相同的，但是特里顿却恰恰相反。所以科学家们推测：特里顿可能是在宇宙远处生成的，偶然经过海王星附近的时候被海王星的重力锁住，所以才变成了海王星的卫星。

这是什么？

这是特里顿。

正月十五收到了月亮礼物

今年正月十五，我们一起去了外婆家。松儿和我一到外婆家，就向外公外婆行了大礼，还收到了迟来的压岁钱。吃完饭，外公拉着我的手去了田地。我们收集田埂上的干草，把它们堆在一起点火。不一会儿，浓烟像白云一样升了起来，风一吹过，火花也跟着风跑。

"外公，这就是正月十五要做的'放鼠火'吧？"

"我孙子真聪明。这么放火的话，田鼠也会逃走，粘在草上

的害虫卵也会消失。还有烧的灰烬会渗到土壤里，使土壤更加肥沃。"

我们正忙着放鼠火的时候，爸爸拿着到处都是洞的易拉罐出现了。因为易拉罐连着铁丝，所以可以拿着铁丝转易拉罐。把点燃的松球放进易拉罐，用手一转就能画出火圈。晚上做梦我还接着在玩放鼠火的游戏呢。

光顾着做梦，结果第二天起晚了，我是最后一个迎接正月十五早晨的人。

正伸着懒腰，松儿咚咚咚跑了过来。

"哥哥。"

"怎么了？"

"买我的暑吧！"

哎呀！我这才想起外公给讲我的"卖暑"习俗。我们偷偷溜进了厨房，外婆和妈妈正在准备早餐。我们悄悄靠近妈妈身后。

"妈妈！"

对着吃惊地转过身的妈妈说了"请买我的暑吧……"就这样卖掉了我的暑。

"嘿嘿，今年夏天就不用担心会中暑了。"

外婆往篮子里装满了核桃、花生和松子，然后递给我。

"既然暑已经卖掉

了，那就要咬干果了。"

据说咬破干果，一年都不会生疮，可以健康地度过。早晨的饭桌上，放着香喷喷的五谷饭。我一口气吃了很多，因为白天要玩很多游戏，得补充能量。

一放下勺子我就跑到了外面，和村里的孩子们一起玩转陀螺、踢毽子和斗鸡。因为吹着冷风，手脚有点凉，但是我玩得很开心。滑完了雪橇，放完了风筝，天色也渐渐地暗了下来。

我穿着厚衣服坐在院子里的凉床上。西边的天空中，火红的太阳正在落下，刚要出现晚霞，天空却变暗了。我耐心地等着星星出现，从东边露出了明亮的光。转头一看，正月十五的大满月正在升起，从地面升到了山坡上的榉树旁边，又大又圆。

"都出来赏月吧！"

全家人都围在院子里观赏着正月十五的大满月。站在我旁边的外公扶了扶眼镜说道：

"看看那里，那些星星是不是分布得很不规律啊？那叫做'昴星'。"

外公指着的地方有六七个星星聚在一起。

"赏月的时候为什么要找昴星呢？"

"以前每到正月十五，我们就会观察月亮和昴星，来预测

未来一年的收成。我们相信，月亮在昴星北边的话，乡下就会丰收；在南边的话，海边就会丰收。”

"外公，您看今年会怎么样？"

"不知道啊，来看看。月亮没有偏向哪一边啊。"

"哇！那就是说，乡下和海边都会丰收喽。"

一起赏月的家人和亲戚们都高兴得拍起了手。外婆兴致勃勃地说：

"今年好像真的是个丰收年呢，月光多好啊。"

"从月亮的颜色也能看出什么吗？"

外婆耸起肩跳起舞，伴随着古老的旋律给我们讲解。

"看看正月十五的月亮，太红了就怕旱，太白了就怕涝。你们觉得今天月亮怎么样？是充实厚重的黄土色，哎嗨，好啊，是大丰收啊，哎嗨，好啊，是大丰收啊。"

我们的院子顿时成了舞蹈的海洋。

我拿出望远镜在院子里装好，因为没有用望远镜观察过满月，所以很好奇。

"哇！好美啊。看起来又暗又平的是月海，但不是真的海，只是由于熔岩流出变平了而已。"

爸爸先看了一眼，然后给我讲解。我也用望远镜观察了月亮。

　　"咦？爸爸，有好多圈圈。"

　　"那是陨石冲撞月球的时候，尘埃散落形成的环形山。像今天一样满月的时候能看得很清楚。"

　　"我们也看看吧。"

　　外公、外婆也觉得好奇，都凑过来看望远镜里的月亮和升在空中的月亮。

　　"连接月海的轮廓，能看见兔子呢。"

　　"是吗？我也想知道。"

　　按照外公告诉我的方法，在脑海里画了一下，月亮上果然出现了竖着两只耳朵的兔子。

　　"好了，今天的最后一个节目就是把满月作为礼物送给大家。"

爸爸把松儿的手掌凑近了望远镜，然后轻轻转动焦点装置。不可思议的事情发生了，松儿的手掌上出现了圆圆的满月，是透过望远镜的月影映在了手掌上。

"哇啊！真漂亮。"

"松儿，现在许愿吧，然后赶紧把手上的月亮拿到心里面。"

松儿呆呆地望了一下手掌，接着嗖的一声把刻着月亮的手放

到了心口上。

赏完月，我回到房间，钻进了暖和的被窝里。虽然灯都关了，但是窗户还是明亮的。透过窗户的缝隙，月光和冬风偷偷地钻进了房间。凉风吹在脸上，但是我的心里却很温暖，因为之前收到的礼物——月亮，已经深深地印在了心里面。我要怀抱着又圆又亮的月亮，度过今年的每一天，然后把月光分给朋友们。

当月光是黄土色的时候，真的会丰收吗？

真的能根据月亮的颜色来判断是丰年还是荒年吗？月亮的颜色之所以会变，是因为当月光照射到地球的时候，由于地球大气状态的不同，其传播的颜色也不同。所以，月亮颜色与农耕的丰年或荒年是没有关系的。当大气很清新很干净的时候，所有的光都能到达地面，所以月亮看起来是白色的；当大气当中有很多灰尘，或者月亮升得很低的时候，红色的光会散播得比较多，所以月亮看起来像是红色的。还有一种比较罕见的情况，就是当火山爆发，地球的大气因火山灰变得很脏时，蓝色传播得比较多，所以月亮看起来是蓝色的。

变装大王——月亮
2月21日 天气：朗月当空，星光灿烂

　　迎接正月十五，去了外婆家。回家的路上看了月亮，一路上，月亮好像一直在跟着我。仔细看了看月海，浮现出了兔子、人脸和带有夹子的螃蟹。真的好神奇。

去月球看一看

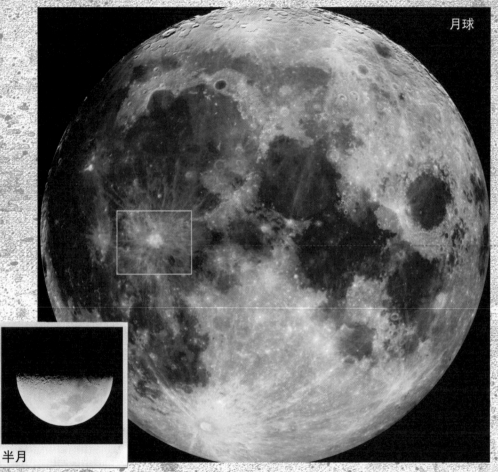

月球

半月

　　月球上较暗的部分叫做月海，分布较多的小圆圈是环形山。

　　月球上由于没有空气，所以也没有风。因此很久以前形成的
环形山，就算过了数百年也不会变。

哥白尼陨坑

哥白尼陨坑位于月球赤道的上方，环形山中部有高度为1.2千米的山峰。满月的时候，能清楚地看见几条伸展在环形山周围的光线。

哇！第一次看到月球的背面！

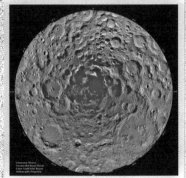

月球的南极

这里是月球的南极，中间部分很暗吧？因为阳光一直照不到这个部分，所以看起来是暗的。也许像地球的南极一样，覆盖着冰。

月球的背面

在地球无法看见的月球背面，没有多少月海，全是环形山。

我们在这里，到了月球的南极哦。

妈妈和松儿去哪里了？

飞跃太阳系

　　和星星家族共同经历了一次太阳系探险之旅，是不是很开心呢？看到宇宙里和我们地球不一样的行星，一定很惊讶吧。你说你以后也要经常观察夜空？那真是太好了！

　　熟悉了夜空，对辨认星座是很有帮助的。知道了星座，就更加便于找到我们去探索的行星了。

　　以后要多学习一些关于太阳系行星的知识。

　　现在看完了书，按照约定，该说出宇宙飞船的名字了。

　　这艘宇宙飞船长得圆圆的，又大又舒适。在我看来，是世界上最好的宇宙飞船。嗯，现在你正坐着呢。还不知道？

　　嘘，靠过来竖起耳朵。

　　是"地球号宇宙飞船"。

　　你说又被骗了？不是的，听我说。地球真的是个很好的宇宙飞船，地球号宇宙飞船一天自转一次，向我们展示着白天和夜晚的美丽天空。还有，绕着太阳转一圈就是一年，交替展示着春、夏、秋、冬的星座。不只如此呢，告诉你一个更惊人的事实吧：地球和其他行星以及太阳一起组成的太阳系也是移动的。

太阳系以银河系为中心，每秒移动220千米。怎么样？很神奇吧！

在太空中，"地球号宇宙飞船"不分黑夜白昼地航行着，是不是很厉害啊？

太阳系守卫着银河系的一角。银河系中，像太阳一样能够自己发光的星星大约有2000亿个。我们以后要探险的地方还有很多很多。尘埃和气体聚在一起的星云、新生的星群、结束一生的星星碎片，还有拥有超强能量的黑洞，这些在银河系的探险过程中都会遇到。

比起第一次看到的你，你现在的眼睛变得更加明亮了。

仔细观察，你的眼睛里充满了无数个星星，包括太阳系以外的星星！

以后我们还会见面，让我们一起去银河系探险吧！

数星星的晚上，做着美梦的小朋友，再见！

不看不知道 科学真奇妙

本套书荣获2009年当当网主编推荐童书TOP10
终身五星奖童书 ★ ★ ★ ★

小松鼠科学童书馆热力呈现

我超喜欢的趣味科学书

★ 全系列韩国畅销120万册
★ 韩国老师最乐于向家长推荐的趣味科普图书
★ 涵盖十大科学领域
★ 帮助孩子触类旁通，增加知识的深度和广度
★ 培养自信心与乐观精神
★ 训练生存能力和想象力
★ 加强思辨质疑的好习惯
★ 引领孩子一步步走向科学殿堂

更多好书，陆续出版，敬请期待……

UN DIMANCHE
À KYOTO

Chansons, contes et comptines de **Gilles Vigneault**
Illustrations de **Stéphane Jorisch**

Comptine en mode zen

Paroles Gilles Vigneault Musique Gilles Vigneault, Bruno Fecteau
Interprètes Ariane Moffatt, Luce Dufault, Luc De Larochellière,
Martin Léon, Pierre Lapointe, Jessica Vigneault

Connaissez-vous le vieux Jo ?
Il est né en Louisiane
Il marche avec une canne
Mais il joue bien du banjo

Il habite à Kyoto
Car sa femme est japonaise
En musique, ils sont bien aise
Puisqu'elle joue du koto

Ont des amis espagnols
Qui jouent tous de la guitare
Et dont le garçon bizarre
Chante comme un rossignol

Une dame, on ne sait qui
Obi rouge et robe blanche
Vient chez eux tous les dimanches
Pour jouer du bouzouki

Je n'ai pas nommé Yoshi
C'est lui qui touche la harpe
Il élève aussi des carpes
Ce n'est pas pour le sushi

Ont donné un concert zen
Dans le plus parfait silence
Sont sorties de l'assistance
Trois notes de shamisen

Dans la salle on pouvait voir
Quatre-vingts bouddhas de bronze
Et deux cent quatre-vingts bonzes
Vêtus de jaune et de noir

Puis, deux heures... sans un bruit
Sans qu'on entende une note
Sans qu'un musicien chuchote :
« Est-ce ainsi toute la nuit ? »

Au dernier coup de minuit
Le hibou d'un monastère
N'a pas cru devoir se taire
Et ulule à l'infini

C'est alors que la souris
Est sortie de la coulisse
Tous les bonzes l'applaudissent
Et tous les bouddhas sourient

La mère à Maillard

Paroles et musique Gilles Vigneault Interprète Jessica Vigneault

La mère à Maillard
Nourrit trois canards
Qui sont pas les siens
Un tien pour le mien

Le papa d'Éloi
Élevait des oies
C'est le vieux Perras
Qui les mangera

C'est le vieil ivrogne
Qui dort et qui grogne
Le vieux puis son chien
Ça fait deux vauriens

Si t'as mal aux dents

Paroles Gilles Vigneault Musique Gilles Vigneault, Jessica Vigneault Interprète Luc De Larochellière

Si t'as mal aux dents
Marche au bout du champ
Mon grand

Si t'as mal aux yeux
Ferme un œil sur deux
Mon vieux

Si t'as mal au cœur
Trouve un feu qui meurt
Ma sœur

Si t'as mal au dos
Fais ton lit dans l'eau
Mon gros

Le matin en patins

Paroles Gilles Vigneault Musique Gilles Vigneault, Robert Bibeau Inteprète Ariane Moffatt

Le matin en patins
Le midi en skis
Le soir il fait noir...
La folie a fait son lit
Dans les coteaux de la nuit

Dans la nuit tous les traîneaux
S'en vont glisser sur la butte
Dans la nuit tous les traîneaux
Vont glisser sur les coteaux
C'est Marco qui les a vus
Une nuit de demi-lune
C'est Marco qui les a vus
Il les a tous reconnus

Le matin en patins
Le midi en skis
Le soir il fait noir...
La folie a fait son lit
Dans les coteaux de la nuit

Les traîneaux, les skis aussi
Qui ne laissent pas de traces
Les traîneaux, les skis aussi
Et qui ne font pas de bruit
Et les patins sur l'étang
Qui viennent, qui vont, qui virent
Les patins sont sur l'étang
Les pieds ne sont pas dedans

Le matin en patins
Le midi en skis
Le soir il fait noir...
La folie a fait son lit
Dans les coteaux de la nuit

Dès que le matin se fait
Les traîneaux sont à la porte
Mais les skis et les patins...
Attention ! Tous les matins
On en trouve un sur l'étang
On en trouve un sur la butte
Ça dépend du vent, du temps
Et du sommeil des enfants

Le matin en patins
Le midi en skis
Le soir il fait noir...

A, B, C, D

Paroles et musique de **Gilles Vigneault** Interprète **Martin Léon**

Un et deux font du feu
Trois et quatre vont se battre
Cinq et six jusqu'à dix
Sept, huit, neuf, pour un œuf
Dix et onze, œuf de bronze
Douze et treize, œuf de braise
Quinze à vingt ne font rien
Ils attendent dans leur coin

A, B, C, D, Monsieur Médée
E, F, G, H, tirait sa vache
I, J, K, L, s'est moqué d'elle
M, N, O, P, elle l'a tapé
Q, R, S, T, elle a pété
S, T, U, V, on l'a trouvé
W, X, les deux yeux fixes
X, Y, Z, étendu raide
La vache a dit :
Meuh... oui !

Tu peux dormir la ville veille (Berceuse)

Paroles **Gilles Vigneault** Musique **Gilles Vigneault, Gaston Rochon** Interprète **Luce Dufault**

Tu peux dormir le vent nous veille
Le vent qui va qui vient dehors
Son nid bercé l'aiglon sommeille
Ton cheval dort ton canard dort
Dans la maison de ton oreille
Un vieux rouet plein de merveilles
Rêve qu'il file quand il dort
Des laines d'or
Dors...

Tu peux dormir la ville veille
Au bout du champs d'un arbre mort
La nuit sort plus jeune et plus vieille
Le loup plus loin le vent plus fort
Un train passe le hibou veille
Quelque grand navire appareille
Et le quai reste dans le port
Terre à tribord
Dors...

Tu peux dormir le temps nous veille
Une heure un siècle une heure encore
Chaque seconde a sa pareille
Ton rêve est l'envers du décor
Tu peux rêver l'horloge veille
Le miel du temps cherche une abeille
Au fond du bois un ours s'endort
Il neige au nord
Dors...

La petite Adèle

Paroles Gilles Vigneault Musique Gilles Vigneault, Jessica Vigneault Interprète Pierre Lapointe

La petite Adèle
Était toute seule
Avec une feuille
Et un vieux stylo... oh !

Elle a fait un A
Elle a fait un L
Avec un autre L
Puis tracé un O

Es-tu un oiseau ?
Oui, Mademoiselle...
Comment tu t'appelles ?
Je m'appelle : Allô !

La petite Annette

Paroles Gilles Vigneault Musique Gilles Vigneault, Jessica Vigneault Interprète Pierre Lapointe

Avec sa lunette
La petite Annette
A vu des planètes
Qui n'existent pas

Elle a des boulettes
Au bout de ses couettes
Comme la comète
Qu'elle a vue là-bas

Mais sous sa casquette
La petite Annette
Construit en cachette
Un vaisseau sans mâts... ne le dites pas !

La danse à Saint-Dilon

Paroles et musique Gilles Vigneault Interprète Martin Léon

Samedi soir à Saint-Dilon
Y avait pas grand-chose à faire
On s'est dit : «On fait une danse
On va danser chez Bibi»
On s'est trouvé un violon
Un salon, des partenaires
P'is là, la soirée commence
C'était vers sept heures et demie...

Entrez mesdames
Entrez messieurs
Marianne a sa belle robe
Et p'is Rolande a ses yeux bleus
Yvonne a mis ses souliers blancs
Son décolleté p'is ses beaux gants
Ça aime à faire les choses en grand
Ça vient d'arriver du couvent...

Y a aussi Jean-Marie
Mon cousin p'is mon ami
Qui a mis son bel habit
Avec ses p'tits souliers vernis
Le v'là mis, comme on dit
Comme un commis voyageur!

Quand on danse à Saint-Dilon
C'est pas pour des embrassages
C'est au reel p'is ça va vite
Il faut pas passer des pas
Il faut bien suivre le violon
Si vous voulez pas être sages
Aussi bien partir tout de suite
Y a ni temps ni place pour ça !

Tout l'monde balance
Et p'is tout l'monde danse
Jeanne danse avec Antoine
Et p'is Jeanette avec Raymond
Ti-Paul vient d'arriver
Avec Thérèse à ses côtés
Ça va passer la soirée
À faire semblant de s'amuser...

Mais ça s'ennuie de Jean-Louis
Son amour et son ami
Qui est parti gagner sa vie
L'autre bord de l'Île Anticosti
Il est parti un beau samedi
Comme un maudit malfaiteur !

Ont dansé toute la soirée
Le Brandy p'is la Plongeuse
Et le Corbeau dans la cage
Et nous v'là passé minuit
C'est Charlie qui a tout callé
A perdu son amoureuse
Il s'est fait mettre au pacage
Par moins fin mais plus beau qu' lui !

Un dernier tour
La chaîne des dames avant d' partir
A' m'a serré la main plus fort
A' m'a regardé, j'ai perdu l' pas
Dimanche au soir après les vêpres...
J'irai-t-y bien, j'irai-t-y pas ?
Un p'tit salut. passez tout droit.
« J'avais jamais viré comme ça !

Me v'là toute étourdie
Mon amour et mon ami ! »
C'est ici qu'il s'est mis
À la tourner comme une toupie
Elle a compris p'is elle a dit :
« Les mardis p'is les jeudis
Ça ferait-il ton bonheur ? »

Quand un gars de Saint-Dilon
Prend sa course après une fille
Il la fait virer si vite
Qu'elle ne peut plus s'arrêter
Pour un p'tit air de violon
A' vendrait toute sa famille
À penser qu' samedi en huit
Il pourrait la r'inviter...

Ôte ta capine p'is swing la mandoline
Ôte ton jupon p'is swing la Madelon
Swing-la fort p'is tords-y l' corps
P'is fais-y voir que t'es pas mort !

Changez de compagnie !
Prends la tienne p'is laisse la mienne...
Si tu la laisses pas, tu vas perdre un pas !
Les femmes au milieu p'is les hommes tout l' tour !
Promenez-vous bien gentiment tout en causant, tout en rêvant...
P'is swing la bacaisse dans l' fond d' la boîte à bois !
Domino ! Les femmes ont chaud !

J'ai levé le pied

Paroles Gilles Vigneault Musique Gilles Vigneault, Jessica Vigneault Interprète Luce Dufault

J'ai levé le pied
Pour entrer en danse
J'ai levé le pied
Perdu mon soulier
J'ai battu des mains
J'ai fermé les yeux
Mon soulier perdu
N'est pas revenu.

J'ai levé le pied
Pour entrer en danse
J'ai levé le pied
Perdu mon soulier
Qui mettait mon pied
Tout près de la danse
Il était léger,
C'était mon soulier.

Quelqu'un l'a trouvé
Près de la rivière
Quelqu'un l'a trouvé
Me l'a rapporté
Rien que d'y penser
J'ai le pied qui lève
Rien que d'y penser...
Fourmis dans les pieds !

Avez-vous des sous ?

Paroles Gilles Vigneault Musique Gilles Vigneault, Jessica Vigneault Interprète Luc De Larochellière

Avez-vous des sous ?
J'en ai trois qui sonnent
Pour une personne
Que j'aime beaucoup...
Coucou !

La connaissez-vous ?
C'est une mignonne...
La connaissez-vous ?
C'est vous !

Les quatre œufs

Paroles Gilles Vigneault Musique Gilles Vigneault, Jessica Vigneault Interprète Jessica Vigneault

J'ai cassé mon œuf de pierre
Pas de jaune, pas de blanc
Y avait un diamant dedans…
Qui l'avait pondu ?
Savez-vous, madame ?
Qui l'avait pondu ?
On l'a jamais su !
On l'a jamais su !

J'ai cassé mon œuf de bois
Pas de jaune, pas de blanc
Petit mot d'écrit dedans…
Qui l'avait écrit ?
Savez-vous, madame ?
Qui l'avait écrit ?
On l'a jamais dit !
On l'a jamais dit !

J'ai cassé mon œuf en verre
Pas de jaune, pas de blanc
L'anneau d'or était dedans…
Qui l'y avait mis ?
Savez-vous, la belle ?
Qui l'y avait mis
Ne l'a jamais dit !
Ne l'a jamais dit !

J'ai cassé mon œuf de poule
Y avait jaune, y avait blanc
Y avait mon dîner dedans !
Le coq avait dit :
Mettez donc la table !
Le coq avait dit :
Madame est servie !
Madame est servie !

Les trois fils au vieux Maltais

Texte Gilles Vigneault Interprète Garou

Les trois fils au vieux Maltais ?
Ah !...
Les trois fils au vieux Maltais
Nous ont détruit la forêt !

Pour se faire une brouette
Pris chacun trente épinettes
Et pour bâtir leur château
Ont coupé tous nos bouleaux
Rien que pour leurs grandes tables
Ont coupé cinquante érables
Et quatre-vingts beaux noyers
Pour des marches d'escaliers...
Abattu tous les mélèzes
Pour les pattes de leurs chaises
Les cèdres, les peupliers
Pour brûler dans leur foyer !

Un petit bois de trente ormes
C'était déjà pas énorme
Ils en ont pris les trois quarts
Pour se finir un hangar
Plus une clôture en frêne
Ajoutez la porte en chêne
Plafonds, planchers en cyprès...
Ils ont rasé la forêt !
Puis sont partis à la chasse
Pour tuer perdrix et bécasses
Et sont restés les deux pieds
Dans la vase d'un bourbier !

Leurs orteils ont pris racine
Il fallait leur voir la mine
Le feuillage au bout des doigts
On ne sait pas de quel bois
Château, hangar et clôture
Ont retrouvé leurs ramures...
Le dimanche, par beau temps
On y mène les enfants
On leur conte cette histoire
Et par quelque nuit bien noire
On leur montre pour de vrai
Les trois fils aux vieux Maltais !

Le grand cerf-volant

Paroles Gilles Vigneault Musique Gilles Vigneault, Robert Bibeau Interprète Ariane Moffatt

Un jour je ferai mon grand cerf-volant
Un côté rouge, un côté blanc
Un jour je ferai mon grand cerf-volant
Un côté rouge, un côté blanc... un côté tendre
Un jour je ferai mon grand cerf-volant
J'y ferai monter vos cent mille enfants...
Ils vont m'entendre
Je les vois venir du soleil levant

Puis j'attellerai les chevaux du vent
Un cheval rouge, un cheval blanc
Puis j'attellerai les chevaux du vent
Un cheval rouge, un cheval blanc... un cheval pie
Puis j'attellerai les chevaux du vent
Puis nous irons voir tous les océans... s'ils sont en vie
Si les océans sont toujours vivants

Par-dessus les bois, par-dessus les champs
Un oiseau rouge, un oiseau blanc
Par-dessus les bois, par-dessus les champs
Un oiseau rouge, un oiseau blanc... un oiseau-lyre
Par-dessus les bois, par-dessus les champs
Qui nous mènera chez le Mal méchant... pour le détruire
Bombe de silence et couteau d'argent

Nous mettrons le Mal à feu et à sang
Un soleil rouge, un soleil blanc
Nous mettrons le Mal à feu et à sang
Un soleil rouge, un soleil blanc... un soleil sombre
Nous mettrons le Mal à feu et à sang
Un nuage monte, un autre descend...
Un jour sans ombre
Puis nous raserons la ville en passant

Quand nous reviendrons le cœur triomphant
Un côté rouge, un côté blanc
Quand nous reviendrons le cœur triomphant
Un côté rouge, un côté blanc... un côté Homme
Quand nous reviendrons le cœur triomphant
Alors vous direz : ce sont nos enfants...
Quel est cet homme
Qui les a menés loin de leurs parents

Je remonterai sur mon cerf-volant
Un matin rouge, un matin blanc
Je remonterai sur mon cerf-volant
Un matin rouge, un matin blanc... un matin blême
Je remonterai sur mon cerf-volant
Et vous laisserez vos cent mille enfants...
Chargés d'eux-mêmes
Pour jeter les dés dans la main du temps

C'est le vieux Pipo

Paroles Gilles Vigneault Musique Gilles Vigneault, Jessica Vigneault Interprète Pierre Lapointe

C'est le vieux Pipo
Qu' a grand peur de l'eau
Il a un bateau
Grand comme un sabot...
C'est beau !

A fait sa misaine
Avec un mouchoir
À la mère Germaine
Ils s'en vont ce soir...
Bonsoir !

Petite berceuse du début de la colonie

Paroles Gilles Vigneault Musique Gilles Vigneault, Robert Bibeau Interprète Jessica Vigneault

Il a neigé sur le bois
Et sur la rivière
On ne voit plus les ornières
Au chemin du roi
Fais ton somme, petit homme
Un Jésus tout comme toi
Est né chez les Iroquois
C'est un grand mystère !

Depuis trois nuits que le loup
Hurle la nouvelle
Le renard joue de la vielle
Tout près de chez-nous
Cloche, cloche, la caboche
La biche et le caribou
Sont venus voir à genoux
Et sa mère est belle !

Tu seras le grand trappeur
Dont parlait l'ancêtre
Rien que de te voir paraître
Les loups prendront peur
Plonge, plonge, dans ton songe
Pour être un jour le Sauveur
Te faudra mon doux dormeur
Renaître et renaître...

Le poème d'un enfant

Paroles Gilles Vigneault Musique Gilles Vigneault, Jessica Vigneault Interprète Luc De Larochellière

Le poème d'un enfant
Est un grand marché aux puces
On y voit des éléphants
Mettant leur trompe à l'encan

Le tambour du régiment
Cause avec des poupées russes
Un capitaine assemblant
Des bateaux de papier blanc

Et même un pêcheur chinois
Avec au bout de la ligne
Un joli cheval de bois
Long comme le petit doigt

Il allait l'offrir au roi
Mais son bouffon, l'air très digne :
« On ne parle pas au roi !
Je regrette... c'est la loi ! »

Un hautbois donne le la
Comme quelqu'un dirait l'heure
La souris fait ses achats
Au comptoir avec le chat

On est parfois dans le flou
D'un mot qui rit et qui pleure
En même temps que le loup
Que l'on voit cogner des clous

Mais l'enfant quand il écrit
Ne sait pas s'il est poète
Et pour un mot qui sourit
Il est le premier surpris

Est-il encore un enfant
Quand il écrit, le poète ?
Quand ses mots s'en vont devant
Avec les chevaux du vent...

Il suit ses mots qui s'en vont
Dans le grand marché aux puces
Où l'on vend des papillons
Dans des bulles de savon

Un magicien gracieux
Vend des trucs et des astuces
De faux dés et de faux œufs
Pour arnaquer ces messieurs

Dans un kiosque à l'écart
Un enfant vend des poèmes
Sous l'allure d'un vieillard
Le pied ferme et l'œil gaillard

Il vend des lettres d'amour
En vers de belle facture
Des lettres pour les retours
Des lettres pour les ruptures

De sa plus belle écriture
Dans des mots de tous les jours

Réalisation Paul Campagne Direction artistique Roland Stringer Mixage Davy Gallant (Dogger Pond Studio)
Illustrations Stéphane Jorisch Conception graphique Stéphan Lorti Mastering Renée Marc-Aurèle (SNB)
Prise de son Paul Campagne, Davy Gallant Studios d'enregistrement Studio King, Dogger Pond Studio

Ariane Moffatt et Pierre Lapointe apparaissent avec l'aimable autorisation des Disques Audiogram
Luce Dufault apparaît avec l'aimable autorisation des Disques Lunou Luc De Larochellière apparaît avec
l'aimable autorisation des Disques Victoire et de Métis Musique Martin Léon apparaît avec l'aimable autori-
sation des Disques La Tribu et La Compagnie Larivée Cabot Champagne Garou apparaît avec l'aimable
autorisation de Sony Music et Gestion Artistique CDA

Remerciements Michel Cusson, Véronique Croisile, Isabelle Desaulniers, Patricia Huot, Claude Brunet,
Benoit Clermont, Marc Ouellette, Francine St-Denis, Alison Foy-Vigneault, Anne-Marie Deraspe, Michel
Séguin, Mathieu Houde, Michel Bélanger, Denis Wolff, Mario Lefebvre, Vito Luprano, Jean-Marie Zucchini,
Pierre Lachance, Serge Brouillette, Isabelle Brouillette, Claude Larivée, Mona Cochingyan et Connie Kaldor
Et un merci tout spécial à Gilles Vigneault qui ne cesse de nous épater

www.lamontagnesecrete.com Dépôt légal octobre 2004. Bibliothèque nationale du Québec, Bibliothèque nationale du Canada.
ISBN 2-923163-08-7 — Loi 49-956 du 16 juillet 1949 sur les publications destinées à la jeunesse.
Imprimé à Hong Kong, Chine par Book Art Inc. (Toronto). Tous droits réservés.